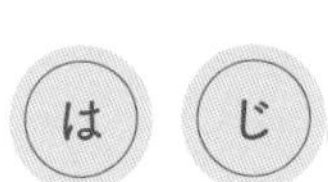

はじ

인사말

私が住み始めた頃のソウルは、今ほどキラキラした華やかさもなく、
流行の最先端とはほど遠い街でした。
誰もが「どうしてソウルなの?」と聞いてくるようなイメージでしたが、
私にとっては、ほかのどの場所よりも輝いて見える特別な場所でした。

韓国語のもつ特有の響き、
ハングルに囲まれた街並み、
独特で個性あるコンテンツ、日本とは異なる国民性 ―― 。

ソウルに足を踏み入れた瞬間、出会うべき場所に出会ってしまった、
まさに運命的な場所と出会ったと感じた、
あの時の感覚は今も忘れることができません。

この本は、ソウル暮らしの情報本というだけでなく、
私が13年間、体当たりで経験してきたソウル生活の体験談を通じて、
かつての私と同じような方々に、
ワクワクを与えられる1冊になればと思っています。

こりあゆ

ソウル在住会社員&YouTuberが教える
SEOULな暮らし方 CONTENTS

006 韓国・ソウルライフの魅力
016 ソウル移住スタイルをCHECK!

CHAPTER 1 | AREA

018 ソウルライフの拠点探し

020 ソウルライフの拠点探し KEYWORD
022 ソウル拠点エリアMAP
024 回基
026 新村・梨大
028 弘大周辺
030 江南駅周辺
032 ソウル大入口駅周辺
034 こりあゆ's オキニ <タウン編>
036 需要別・移住におすすめの街

CHAPTER 2 | HOME

040 ソウルでおうち探し

042 ソウルでおうち探し KEYWORD
044 ソウル上陸を果たしたら…おうち探しを始めよう!
046 かなり独特! 韓国ならではの物件の種類
048 お部屋探し! 契約するの巻
052 お部屋の契約、お金ってどのくらいかかるの?
054 こりあゆinterview! おへや探し事情!
056 生活インフラ&行政の手続きを!
058 韓国の引っ越しはここが違う!
060 韓国ドラマにも登場する韓国特有の部屋と設備とは
062 こんな事ある!? おうち探しのトラブル
064 こりあゆ's オキニ <インテリア編>

☆本書について
掲載データは2024年3月現在のものです(1000W=約110円)。掲載内容が変更される場合がありますので、事前に御確認ください。季節や祝日・年末年始の場合は内容が変更される場合があります。

CHAPTER 3 | STUDY

066 ソウルの学校で学びたい

068 ソウルの学校で学びたい KEYWORD
070 学校に入学するまでのロードマップ
072 まずは短期留学でお試しソウル
074 本格的に韓国語を学ぶ! 語学堂に入学するの巻
076 私の通った語学堂ルポ ~延世大学校 韓国語学堂編~
080 語学留学とは180度違う。 韓国の大学に正規留学するの巻
082 私の通った大学ルポ ~慶熙(キョンヒ)大学校編~
086 超シビア! 現地の学生と競う 大学の評価制度とは?
088 事前チェック必須! 大学の制度をうまく使って!
090 こりあゆinterview! 韓国の大学留学事情!
092 アルバイト・インターンをするには
094 教科書に載ってない!? 韓国の大学用語をレクチャー!

CHAPTER 4 | WORK

096 ソウルで働く

098 ソウルで働く KEYWORD
100 楽しみながら滞在! ワーホリビザで働いてみる!
104 こりあゆinterview! ソウルの就職事情!
106 外国人でも働ける! 会社を探すにはどうする?
108 書類作りが鍵! 会社に志願してみる
110 企業の面接を受けてみよう!
112 ここが違う!? 韓国企業のキホンって?
116 私の働く会社ルポ
~IT系スタートアップでのコンテンツマーケティング~
118 スピード命? 団体行動? 韓国の仕事文化を知る
122 避けては通れない… 就労ビザをどうする?

CHAPTER 5 | LIFE

124 ソウルの日常を楽しむ

126 ソウルの日常を楽しむ KEYWORD
128 生活費、もう意外と安くないんです…
132 韓国ピックリマネー事情 ~おごりおごられ経済は回る~
134 韓国1人暮らしグルメ事情 ~自炊編~
136 韓国1人暮らしグルメ事情 ~外食編~
138 こりあゆ's オキニ <マート編>
142 韓国住みは見た 韓国人の自分磨きはこうだ!
145 こりあゆs' オキニ <コスメ編>
146 効率的&現実的! 韓国独自のソゲ文化とは
148 たまには息抜きも大事 韓国の夜の遊び方
150 こりあゆinterview! 日韓コミュニケーション
152 病気になったり、ケガをしたら…
154 一番大事なメンタルケア ココロの整え方
156 日本よりも安く取れる! 韓国で運転免許取得に挑戦!
158 韓国語&英語の上達法

CHAPTER 6 | INFORMATION

161 ソウルの情報を集める

162 ビザにもいろいろあります
164 韓国の大学に正規留学したい!
166 語学堂は内容で選びたい
168 不動産&留学エージェントを知る!
170 ソウル基本情報をまとめ!

176 奥付

“みなさん、こんにちは。
アンニョンハセヨ
안녕하세요
こりあゆ です――。”

韓国・ソウルライフの魅力

Charm of life in Seoul

私の母が冬ソナ時代の「第一次韓流ブーム」に乗り韓国語を勉強していたこともあって、家には韓国に関する本やDVD、韓国語の教科書があふれていました。母の影響で小学生の頃から韓国ドラマのOST（サントラ盤）を耳コピで歌い、"안녕하세요（アンニョンハセヨ）"という文字まで覚えていた私にとって、韓国は身近な国でした。

そんな私が本格的に韓国の魅力にどっぷりハマってしまったのは、今から15年前の高校1年生の時。
たまたま当時日本で大人気だった東方神起の動画を見ていて、
おすすめ動画に出てきたSUPER JUNIOR、少女時代のMVを見たことがきっかけでK-POPというジャンルを知りました。
「歌詞が知りたい、文化が知りたい、韓国に近づきたい！」。
好きなことができるとそれだけを掘って掘りまくる性格のため、
今度は韓国語の魅力にハマり、さらに雑誌やネットに触れていくうちに韓国文化にもどっぷり…。
母が使っていた教科書で勉強しながら、
次のページをめくるのが楽しみで楽しみで仕方がなく、
韓国語の勉強しかしなかった高1の冬。
毎日刺激的でアドレナリンが出まくっていたあの時の感覚を、
いまだにはっきりと覚えています。
私の高校生活は言葉通り「韓国漬け」でした。

楽しみも、夢もなかった私の人生に、
初めて「ワクワク」そして「目標」を与えてくれたのが韓国。
大好きな韓国文化に触れながら、大好きな韓国語で、興味のある分野を勉強したいという目標ができ、高校卒業後すぐに韓国に来て大学に入学しました。
韓国語の勉強と同時に始めた、韓国芸能や韓国語に関するブログもどんどん閲覧数が上がり、自分で作ったコンテンツで好きなことを広めることへのやりがいから、マーケティングへの興味が生まれ、現在は韓国のIT企業でマーケター兼クリエイターとして働いています。

18歳で渡韓し、気が付けば在韓13年目。第2の母国となった韓国での移住経験を、韓国の魅力とともにお伝えしていきます！

こりあゆ年表

2009
韓国語の勉強を独学で始め、同時にブログを開設

2010
夏休みを使って短期留学

2011
千葉県韓国語スピーチ大会優勝

2012
高校卒業後、正規留学開始。延世語学堂入学（9カ月間通い6級卒業）

2013
慶熙（キョンヒ）大学文化観光コンテンツ学科入学

2018
1年の休学を経て大学卒業、韓国スタートアップIT企業に新卒就職

2022～現在
新卒就職した会社を辞め転職。現在もIT企業のグローバル事業部でコンテンツマーケティングをする傍ら、YouTubeなどを通してコンテンツを発信中

ソウル移住をしてみたら……

ソウルの生活に適応して楽しく暮らすために、言語習得は必須です!

生きた韓国語を学ぶためには、さまざまな方法があります。**独学しながら韓国で知人を作って、日常的にアウトプットを重ねる**のもよいでしょう。

語学堂に通って、外国人の友達を作るのも面白いですよ。私自身、韓国語を共通言語として、外国人同士で新しい経験をしたことは、忘れられない楽しい思い出です。また、大学の正規留学をした際は、学生と半強制的(?)に、チーム課題やサークル活動に取り組みました。**現地コミュニティのなかで、韓国語の実力をぐんっと伸ばせます。**

こうして振り返ると、やはり上達のコツは楽しみながら学ぶこと。ソウル生活を通して、生きた韓国語を話す楽しさを感じてください。

詳しくは ⊳⊳P.074～

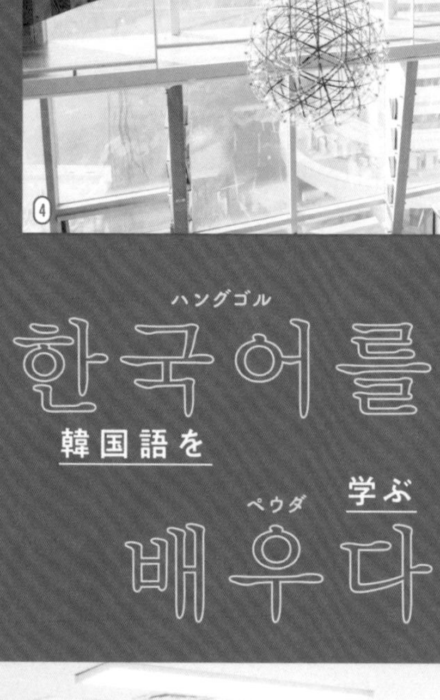

④

한국어를(ハングゴル) 韓国語を
배우다(ペウダ) 学ぶ

⑤

数年前まで通っていました。懐かしい!

ソウルの若者言葉は日本じゃ学べない!

②

①

“生きている韓国語を学べて話せることが幸せ”

❶明るいカフェは大好きなスポット。そして、今も昔も学生たちの勉強スペースでもある ❷友達同士の会話で生きた韓国語を学ぶ ❸韓国いちの名門女子大、梨花女子大学 ❹最近のソウルの流行はブックカフェ。一日中でも居られそう ❺こりあゆさんの母校、慶熙大学・文化観光コンテンツ学科の教室にお邪魔 ❻『私は私のままで生きることにした』など、韓国エッセイは世界的ブーム。新作をすぐ読めるのもソウル在住のメリット ❼カフェはいつも課題に取り組む学生でいっぱい ❽慶熙大学の卒業式でのワンシーン。勉強に没頭した大学時代は人生の宝物 ❾梨花女子大学の一角 ❿ギリシャ神殿のような造りの慶熙大学は、桜の名所としても有名。春は観光スポットに

学生でも会社員でも
お酒を飲む機会が多い

1

2

3

4

“食べる、買う、遊ぶ—。ソウルの暮らしが日常なんです”

モンモン
멍멍!

5

サリム
살림
暮らし

6

7

❶学生街にあるパジョンの老舗（→P.025）。お酒で距離を縮めるのが韓国流　❷❸❹❾トレンド感たっぷりの韓国カフェが大好き。「街を巡って、カフェでゆっくりする時間は“ソウル暮らし”を実感する瞬間ですね」（こりあゆ）　❺韓国では犬の鳴き方はワンワンでなく、「モンモン!」。小さな驚きが日常に満ちている　❻伝統菓子とお茶を楽しめるカフェ「温故知新」（→P.033）　❼ソウル在住者のお買い物はオンラインショッピングが主流。「釜山発のペーパーガーデンのインテリア雑貨（→P.065）がお気に入りです」（こりあゆ）　❽小腹がすいたらブンシクへ。大好きなトッポッキをいただきます

「韓国で暮らしてみたい……」。

渡韓のたびにそう考える人は多いと思います。私の初ソウルは10年以上前ですが、当時は物価も安く、繁華街もどこかノンビリした雰囲気でした。**それが今や、おしゃれやコスメ、スイーツといえばソウル発も多く、韓国グルメやエンタメは世界的にも人気**を集めています。

韓国人の「パリパリ！(早く！)」という国民性もあって、街、ファッション、ビューティなどすべてがすごいスピード感で変化しています。流行に敏感で、好奇心旺盛な韓国人のエネルギーを燃料にソウルは急速に成長していて、またそれが私のガソリンにもなっているんですよね。

日々変わるソウルは迷っていたらもったいない。思い切って、ソウル生活に飛び込んでみて！

詳しくは ▷▷ P.124～

ソウル移住をしてみたら……

“刺激と成長が詰まった韓国で働くということ!”

学生時代は、どこか「外国人」として学校に在籍している感があったのですが、**働き始めてからは少しずつ韓国の「ウリ」の一員になっている感覚を味わっています。**ウリというのは直訳すると「私たち」という意味。韓国人は自分のテリトリーがあって、“内(=ウリ)と外の区別”がはっきりしています。ウリに入ることは仲間として認識されているということ。格段に働きやすくなりますが、同時にウリの一員としての責任も生まれます。学生とは違った立場で、韓国と向き合っていく第一歩とも言えるでしょう。

韓国で働くには、アルバイトやインターン、ワーキングホリデー、就職などがあります。ビザなどの手続きもありますが、自分の暮らしに合う働き方を選んで、ソウルを一層楽しんでください。

詳しくは ≫P.096〜

일하다 (イルハダ) 働く

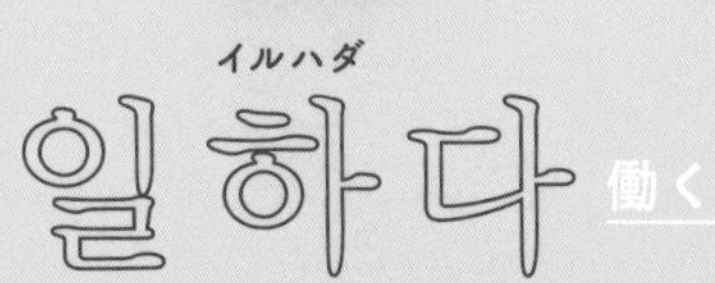

景色がいいと
アイデアが
浮かびそう!

①サムスン電子など、韓国の名だたる企業本社が並ぶ江南エリア ②平日は会社員と観光客が行き来する江南駅 ③オフィスではコーヒーが欠かせない! ランチ後のテイクアウトはビジネスマンの大定番 ④韓国は日本と比べ、わりと勤務時間に融通が利く。人気のベーカリーで朝活してから出社するのもあり ⑤「オフィス街特有の引き締まる感じが好き」(こりあゆ) ⑥⑦広々したオフィスに卓球台!? カジュアルな雰囲気の会社が多い ⑧韓国焼酎“ソジュ”を片手に関係を作っていくのが韓国流 ⑨自分のデスクを離れて、仕事をすることも

ART

世界的なアートイベント「フリーズ」以降、現代アートの発信地となっているソウル。優れた美術館が、徒歩圏内に点在している。ふらりと立ち寄りたい

BEAUTY

美容マニアにとって、トレンドの中心はソウル! 最新美容やコスメ、メイク術…etc.にどっぷりハマって、美を追究するのもあり!

“エンタメに美容に 韓国カルチャーに

ENTERTAINMENT

K-POPダンスだけでなく、韓国は昔から「バスキン」と言われる路上ライブが盛ん。ダンススタジオも多く、外国人でも気軽に体験レッスンを楽しめる

ハングッ　ムンファ

한국 문화

韓国文化

何気ない日常を切り取ってみる。慌ただしい
観光だと見えてこないソウルを見つけたい

のんびり歩こう!

WALKING

アートに！浸りたい

韓国カルチャーが好き、という人にとってソウル暮らしはとっても刺激的。街にはK-POPや映画などの韓国エンタメがあふれ、ファッションやアートもそこかしこで楽しむことができます。**ちょっとした"スキマ時間"の選択肢が多彩なのがソウルの魅力のひとつですね。**また、韓国美容が目的の人も多く見かけます。韓国女子の肌への本気度は脱帽もので、ニキビ1つで皮膚科に駆け込むほど。ぜひ「美容皮膚管理」も体験してみて。

詳しくは ▶▶P.024 ～、142

カフェやショップなど若者が集まる街、弘大。弘益大学など大学も多く学生街でもある

お買い物の聖地カロスキル。江南で働く社会人がデートで立ち寄ることも多い

古い建物が並び、独特の風情を感じられる聖水洞。カフェや壁画など散策が楽しい!

ワタシの

やりたいことはなんだろう?

ソウル移住スタイルをCHECK!

やりたいことはいっぱいあるけれど、結局どれが私に適したソウル移住?
滞在期間や目的、楽しみたいことも含めて、チェックしてみましょう!

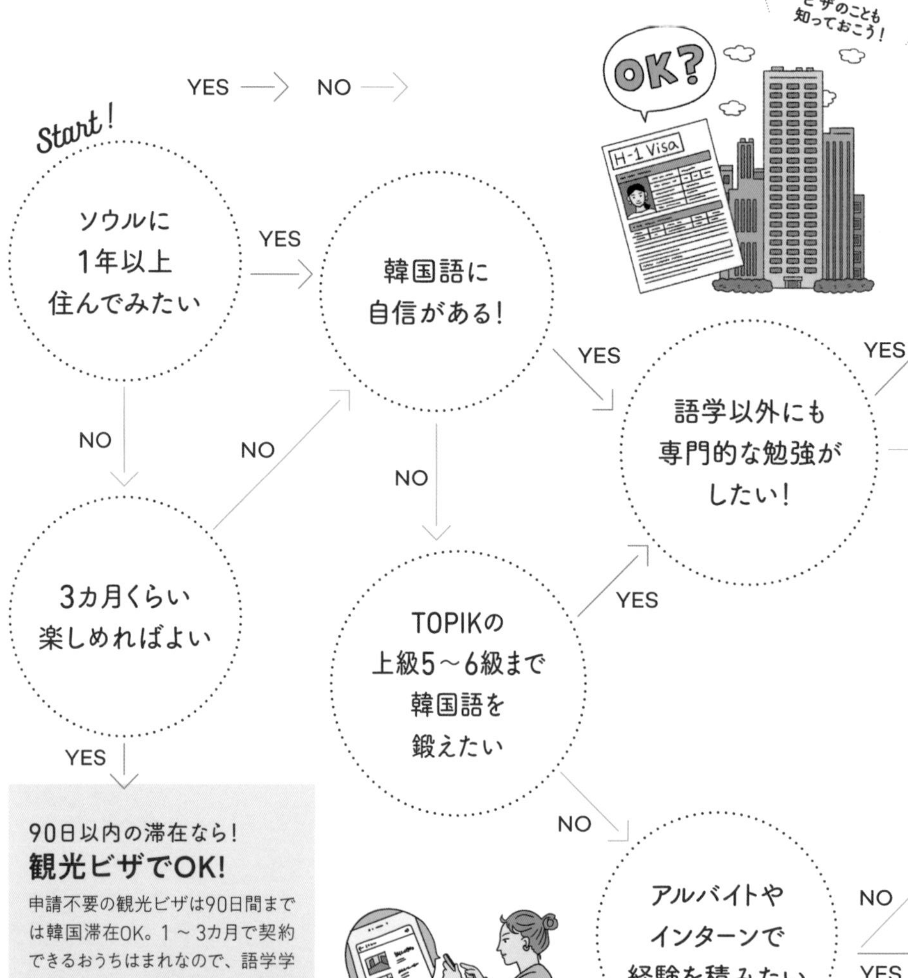

ビザのことも知っておこう!
OK?
H-1 Visa
YES NO
Start!
ソウルに1年以上住んでみたい
YES
NO
3カ月くらい楽しめればよい
NO
YES
韓国語に自信がある!
YES
NO
語学以外にも専門的な勉強がしたい!
YES
TOPIKの上級5~6級まで韓国語を鍛えたい
YES
NO
アルバイトやインターンで経験を積みたい
NO
YES

90日以内の滞在なら!

観光ビザでOK!

申請不要の観光ビザは90日間までは韓国滞在OK。1~3カ月で契約できるおうちはまれなので、語学学校と提携している物件や、Airbnbなどを利用することも考えましょう!

詳しくは P.044

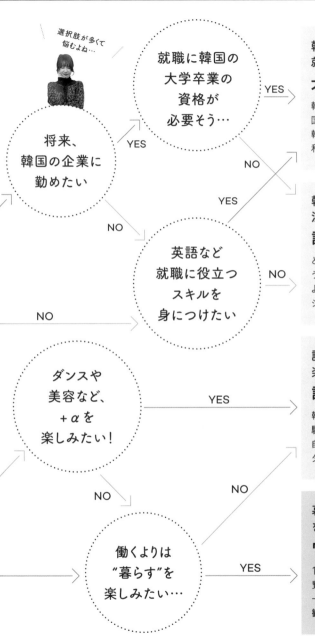

選択肢が多くて悩むよね…

将来、韓国の企業に勤めたい

YES → 就職に韓国の大学卒業の資格が必要そう…

YES → 大学の正規留学

NO → 語学堂

NO → 英語など就職に役立つスキルを身につけたい

YES → 大学の正規留学

NO → 語学堂

NO → 英語など就職に役立つスキルを身につけたい

ダンスや美容など、+αを楽しみたい!

YES → 語学学校／スキル留学

NO → 働くよりは"暮らす"を楽しみたい…

NO → 語学学校／スキル留学

YES → ワーキングホリデー

韓国企業での就職を考えるなら!

大学の正規留学

韓国に関連した専門分野を学びたい、韓国企業に就職したいと考えているなら、韓国の大学を出ておくほうが絶対的に有利。語学面、スキル面でも実力はつく!

詳しくは P.078

韓国語の勉強に注力するなら!

語学堂

とにかく韓国語の実力を上げたい! という人は語学堂へ。1～6級までレベルによって学べ、上級5～6級まで行けばビジネスレベルの韓国語が話せるように。

詳しくは P.074

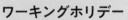

語学と「+α」を楽しむなら!

語学学校／スキル留学

韓国語も勉強したいけど、韓国文化も体験したいという人には、比較的、時間が自由に取れる語学学校へ。空いた時間でダンス教室や美容学校に行くことも。

詳しくは P.073

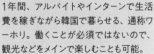

暮らすように…を実現するなら

ワーキングホリデー

1年間、アルバイトやインターンで生活費を稼ぎながら韓国で暮らせる、通称ワーホリ。働くことが必須ではないので、観光などをメインで楽しむことも可能。

詳しくは P.100

CHAPTER

1

AREA

ソウルライフの拠点探し

ナワ タッ マヌン トンネ チャッキ
나와 딱 맞는 동네 찾기

ソウル移住を目指すなら、
まずは暮らしの基盤となる
“街探し”からスタートしてみよう

ソウルに住んで13年間、引っ越しを何度も繰り返した私ですが、
いつも新しい街に移動するときはドキドキ、ワクワクします。
今まで住んできた街の決め手としては、
やはり学校や会社へのアクセスがよい場所であることでした。
新村（シンチョン）、回基（フェギ）、冠岳区（クァナク）、新道林（シンドリム）エリアに住みましたが、
同じソウルといっても雰囲気や利便性がそれぞれ違い、
住んでしまうとどの街にも情が湧いて、
お気に入りの場所となりました。
ソウル市内といっても、場所によって家賃もまったく異なります。
保証金もジョンセ（まとまった額の保証金を最初に支払うシステム）
でしか、お家を借りられないような高級住宅街から、
少額の保証金でも可能な場所までさまざまです。
また、そこまで治安の心配がいらないソウルですが、
「韓国人でもあまり近寄らない街」が、実はちらほら存在しています。
私が家賃の安さから不動産を訪問したときも、
「女性の1人暮らしはおすすめしない」と断られたこともあります。
そういった街はあらかじめ知っておくと安心ですね。

ソウルライフが一層楽しくなる、
あなたにピッタリの街が見つかりますように。

まずはどのエリアに住むか。街の特徴を知ろう！

ソウル移住が決まったら、まず考えるのは「住む家どうしよう?」ですよね。東京も区によってカラーが異なるように、ソウルもエリアや地下鉄路線、学校の有無などによって、雰囲気がかなり異なります。そのため、家探しの前に「まず住むエリアを検討する」のが第一歩。ソウルの街の特性やエリア探しのコツを知っておくと、希望するおうちがどこにあるのか見えてきますよ!

韓国版「SUUMO」? エリア探しは、「チッパン」など アプリを活用しよう

P.048

韓国には日本の住宅情報誌のような冊子はなく、賃貸情報アプリで探すのが一般的。地図から条件検索ができ、そのエリアの予算や特徴がわかってきます。

高級住宅地"江南(カンナム)"エリアですが、地下鉄2号線の西側はやや家賃がお手頃に…?

P.032

漢江の南一帯を「江南」といい、なかでも狎鴎亭周辺は高級住宅地として有名です。しかし江南エリアでも地下鉄4号線の西側(ソウル大入口駅など)まで行くとお手頃に。

不動産管理会社や保証会社は、ほぼなし。一般的には大家さんが物件を管理

日本では賃貸契約の際は、不動産管理会社がメインで、大家さんの登場はまれかと思います。しかし韓国では大家さん、不動産屋、借り手の三者で行い、間に入った不動産屋に仲介手数料を支払うことが多いです。

日本からでも相談が可能！
最初のおうち探しは

日本語が通じる不動産へ

P.168

言葉に自信がない状態で不動産巡りをするのは心配、という人は日系不動産がおすすめ。日本人目線で住む街や住居の相談ができます。

ソウルの部屋探しはタイミングが重要なんです！

新林や大林、九老…etc.
評判がいまいちな地域も

P.038

居酒屋や外国人が多い新林や大林などの街はあまり評判がよくない傾向が。女性は駅近の物件を選ぶなど工夫しましょう。

留学生人気の高い地域は
学校や語学堂が集まっている

P.024・026

回基（フェギ）、新村（シンチョン）エリア！

ソウルの地下鉄は通勤時間が激混み！ 新村や梨大、回基、ソウル大入口などの学生街は学校が徒歩圏内にあるうえ、手頃な物件が集まっています。

地下鉄で30分という駅も。
ソウルの

お隣・京畿道（キョンギド）に住む手も…

地下鉄の延伸が続いており、隣県の京畿道からも通学・通勤できます。家賃の高いソウルは諦めるのも手！

日本人に人気のエリアは

P.039

なにかと便利な“麻浦区（マポ）”と
別名リトル東京“龍山区（ヨンサン）”。

日本人学校や大学が集まる麻浦区、西大門区のほか、“日本人村”ともいわれる二村洞のある龍山区は、日本人が多いエリアです！

本当に住みやすい街はどこ!?

ソウル拠点エリア MAP

遊びも学校も徒歩圏内な「ザ・学生街」!

新村・梨大 ▷ P.026

シンチョン・イデ 신촌・이대

駅名 地下鉄2号線「新村駅」「梨大駅」

梨花女子大学のキャンパスが広がるエリア。百貨店や映画館、ブティック、カフェなどがあり、女子大街らしい華やかさ。

ソウルを代表する繁華街のひとつ

弘大周辺 ▷ P.028

ホンデ 홍대

駅名 地下鉄2号線「弘大入口駅」、地下鉄6号線「上水駅」ほか

芸術系の弘益大学のほか、上水駅からは西江大学も近い学生街。周辺地域は流行の店も多く、遊びながら滞在したい人に。

望遠洞 ▷ P.039

マンウォンドン 망원동

弘大に隣接したカフェ激戦区。静かだけど、おしゃれな暮らしに◎。

デジタルメディアシティ駅(上岩洞) ▷ P.039

Digital Media City역 (サンアムドン 상암동)

TV局が集結したモダンな都市。日本人学校も移転。

永登浦区庁駅 ▷ P.037

(永登浦区周辺)

ヨンドゥンポグチョンニョク 영등포구청역

新興マンションが増え、百貨店やマートなどが充実。

新道林駅 ▷ P.036

シンドリムヨク 신도림역

ソウルで最も利用者が多い駅。江南エリアの交通の要。

新林駅 ▷ P.038

シンリムヨク 신림역

ソウル大学への軽電鉄が開通した、賑やかな地区。

慶熙大学は
桜の名所!

誠信女大入口駅 P.038

ソンシンヨディックヨク 성신여대입구역

誠信女子大学のほか、韓国最古の成均館大学もある教育区。

ソウルいちの庶民派学生街

回基 P.024

フェギ 회기

駅名 地下鉄1号線「回基駅」

慶熙大学、韓国外国語大学などがあるソウル東部の学生街。中心地から離れており素朴な店が多い。パジョン通りも有名。

往十里駅 P.037

ワンシムニヨク 왕십리역

漢陽大学などのお膝元。東側エリアの巨大学生街。

IT企業が集結した江南エリアのオフィス街

江南駅周辺 P.030

カンナムヨク 강남역

駅名 地下鉄2号線/新盆唐線「江南駅」

サムスン電子など多くのIT企業が集まるオフィス街。江南エリアの中心的な駅で、交通の便もよく、通勤時の拠点に。

就職しても住みやすい便利なエリア

ソウル大入口駅周辺 P.032

ソウルデイブクヨク 서울대입구역

駅名 地下鉄2号線「ソウル大入口駅」

韓国の最高学府、ソウル大学のお膝元。繁華街のシャロスキルにはしゃれた店が多く、家賃も比較的手頃で人気のエリア。

ソウルライフの拠点探し 1

ソウルいちの庶民派学生街

area：

回基（フェギ） 회기

❶ボムリトッポッキの壁には私の落書きも　❷❸大学生のお約束といえばパジョン通りでの打ち上げ
❹桜の名所としても有名な慶熙大学　❺慶熙大学の構内　❻飲み会が多いサークルでしたがいい思い出！

庶民派の学生街は〝ないものがない！〟便利さです

私の母校である慶熙大学の最寄り駅が回基駅。1号線はお年寄りの多いイメージですが、回基駅は1人暮らしをする学生も多く、学校の周辺には飲み屋も多数。いつも活気にあふれていて生活に困らないエリアです。家賃はピンキリですが、普通のワンルームであれば保証金は500万W、家賃50万Wが平均ではないでしょうか。こぢんまりとした地味な学生街で、他エリアと比べると洗練されすぎていない…。たとえば小さなマートの店員さんがトウモロコシを食べながら接客してしまうような、韓国っぽさ（笑）が残っているのが好きです。隣にある外大までも近く、慶熙大学の裏からすぐに入れるので外大生との交流も楽しめます。

回基DATA

暮らしやすさ	★★★★★
交通の利便性	★★☆☆☆
治安	★★★★☆

Q どんな街？
3つの大学のほか、飲食店やカフェ、スーパーなどなんでもそろい、生活するにも便利。夜は屋台や飲み屋さんも多く、庶民的な学生街。また、おいしいパジョン店が集まったパジョン通りは有名な맛집（うまい店）スポット。

Q 平均家賃は？
家賃55万W、保証金500万～1000万W

Q 地下鉄は？
1号線：回基駅

Q 最寄り大学は？
慶熙大学、韓国外国語大学（外大）、ソウル市立大学

※10万W=約1万1000円（2024年3月現在）

回基といえば外せない学生最愛맛집(マッチプ)4選！

キョンヒ生御用達のアイスクリーム！

The WAYO

ワヨ 와요

慶熙大学生なら必ず一度は食べたことのあるアイスクリーム店。シグネチャーのオレオ味のほか、季節限定など素材にこだわったフレーバーが多数そろう。値段も3000W台からとお手頃。

東大門区回基洞16-12
12:00~14:30、17:00~22:15
なし　なし

マッコリ×サクふわパジョンが至高

イモネワンパジョン

이모네왕파전

韓国では雨が降るとパジョンを食べる風習があり、雨の日はパジョン通りが賑わいます。ここは通りのなかでも老舗で人気のあるお店。巨大な海鮮パジョン1万4000Wとマッコリを一緒に飲んでみて。

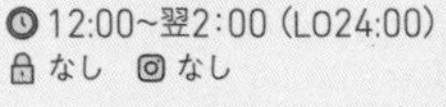

東大門区忘憂路1キル39
12:00~翌2:00（LO24:00）
なし　なし

このタットリタン、まさにコスパ

ヨギガチョッケンネ

여기가 좋겠네

慶熙大学生が愛する鶏鍋「タットリタン」の店。冬でも学生が行列するため、店舗を拡大したほどの人気です。タットリタン1万3000W～に餅やジャガイモなども追加して、味はもちろんボリュームも大満足。

東大門区回基路21キル25
10:00~24:00、日曜10:30~22:00
なし　なし

小腹がすいたら行きたい！

ボムリトッポッキ 慶熙支店

ボムリトッポッキ　キョンヒデジョム　버무리떡볶이　경희대점

正門付近に位置するブンシク（粉食）店。値段も安く、トッポッキ4000Wの辛さも選べ、ソースの味もバツグン。昼食時、落書きいっぱいの店内は大学生でいっぱいに。ティギム（天ぷら）ほか。

東大門区回基洞16-69
11:00~21:00、月・水・日曜11:30~20:00
なし　なし

area | home | study | work | life

遊びも学校も徒歩圏内な「ザ・学生街!」

area:

新村・梨大 신촌 이대

❶❸梨大駅から梨花女子大学の正門へ続く通り ❷冬でも賑わうホミルパッ ❹梨大正面から見える優美な建築は見学もOK! ❺新村駅から延世大学へ続く並木道 ❻手頃な店も多い

ソウルの有名大学が集まる代表的な学生街!

延世大学、梨花女子大学のある新村、梨大エリアは、ザ・学生街。百貨店、映画館など大きな施設から、カラオケや飲み屋、飲食店まで、住むのにも、遊ぶのにも困らないエリアです。飲み屋は新村寄りにあり、梨大側は女子大ということもあって昔からパスタ屋さんやかわいいカフェなどおしゃれなお店が多いイメージです。特に梨大駅から大学に向かう道あたりにファッション通りがあり、私が延世大学の語学堂に通っていた時代はよくそこで服を買っていました。なお、語学堂は延世大学の正門よりも後門側にあり、裏から登校する学生が多いのですが実は梨大側に近いのです。正門側だけではなく後門側にもぎっしり寄宿舎や下宿が連なっています。

新村・梨大DATA

暮らしやすさ	★★★★☆
交通の利便性	★★★★★
治安	★★★★☆

Q どんな街?
観光地でもあり、日本人にもおなじみのエリア。カフェや居酒屋などが多く、地下鉄も複数使えるので、利便性は抜群。延世大学の正門~後門周辺に宿舎や下宿が集まっており、リアルな学生の雰囲気がわかります。散策してみて。

Q 平均家賃は?
家賃60万W、保証金500万~1000万W

Q 地下鉄は?
2号線:新村駅、梨大駅
京義中央線:新村駅

Q 最寄り大学は?
延世大学、梨花女子大学

学生たちが列をなす特別な4店舗！

いちおしのグリークヨーグルト専門店

Greek day
グリークデイ

グリークヨーグルトはブランドによって味がかなり異なりますが、個人的にいちおしなのがGreek day。家で食べる用に大容量でプレーンを購入しています。カカオグラノーラもおいしいです。

西大門区新村駅路22-8
11:00~21:00
なし　@greek_day

開店と同時に満席に！

締めはチーズポックンパッを！

翰林豚家本店
ハルリムトンガ ボンジョム　한림돈가 본점

焼肉店が多い新村で、行列ができる話題の店。肉メニューはサムギョプサルやモクサル、カルビなど1万6000W ~の4種類のみ。なかでも肉厚サムギョプサルは肉の旨味が濃厚で美味!

西大門区延世路7アンキル16-4
16:30~24:00
なし　なし

今でも愛されるピンスの老舗

ホミルパッ
호밀밭

定番はミルクピンス7900W。小豆と餅が別で出てきて、足りなければおかわりが可能です! ヌンコッピンス（ミルクの氷で作るピンス）を出して話題になり、開業当時は毎日行列でした。

西大門区新村駅路43
12:00~22:00
なし　なし

スタバのソウル第1号は梨大店

STARBUCKS COFFEE 梨大R店
スタボッスコピ イデアルジョム　스타벅스커피 이대R점

世界有数のスタバ天国である韓国ですが、第1号店は1999年にオープンした梨花女子大学前店。20周年のリニューアルでリザーブ限定の店に変わり、学生とスタバ好きで賑わっています。

西大門区梨花女大キル34
8:00~20:00、日曜9:00~19:00　なし
www.starbucks.co.kr

area | home | study | work | life

ソウルを代表する繁華街のひとつ

area :

弘大周辺 홍대（ホンデ）

❶弘大のメインストリート　❷壁画が並ぶピカソ通りは弘益大学すぐ横に　❸弘益大学　❹複合施設「サンサンマダン」は弘大の目印　❺ハヌル公園　❻廃線跡がおしゃれなヨントラルパーク

弘大から延南洞にかけてはソウルのホットスポットです

弘大は駅名のとおり「弘益大学」のある学生街ですが、同じ学生街でも新村や梨大に比べ、遊ぶエリアとして有名です。一般人がダンスや演奏など、路上ライブを披露することができる「バスキンエリア」は、道行く人が足を止めて一緒になって楽しめます。10年前は弘大入口駅9番出口から出て進むとある「駐車場通り（当時の名前）」沿いの服屋、小物屋、カラオケ屋、カフェなどが連なるエリアが一番賑わう場所だったのですが、最近の20～30代に人気なのはダントツで延南洞（ヨンナムドン）。インスタ映えするカフェや飲食店は9番出口側ではなく、延南洞側の3番出口側に集まっているため、週末の延南洞は人であふれかえっています。

弘大DATA

暮らしやすさ	★★★☆☆
交通の利便性	★★★★★
治安	★★★★☆

Q どんな街？
弘大入口駅の南側一帯は観光客も多い繁華街ですが、駅から西側の望遠洞、3番出口から北の延南洞、延禧洞エリアはローカルの雰囲気と、最旬の飲食店が点在する落ち着いたエリア。静かな生活とトレンドが楽しめます。

Q 平均家賃は？
家賃60万W～、保証金500万～1000万W

Q 地下鉄は？
2号線／京義中央線：弘大入口駅
6号線：上水駅

Q 最寄り大学は？
弘益大学

弘大周辺にあるアツイ場所4選！

延南洞にある人気デザートカフェ

Parole&Langue　延南本店

パロルエンラング　ヨンナムボンジョム　파롤앤랑그 연남본점

延南洞の閑静な住宅街にあるカフェ。レンガ造りの一軒家は温かい雰囲気で、ゆったり過ごしたいときに◎。トウモロコシや紅柿などの四角いパイ8500Wが、写真映えすると人気です。

麻浦区成美山路29
アンキル8
13:00~21:00
月曜　@parole_langue

弘大の西側、望遠洞の絶品スパニッシュ

ベウノ

배우노

おしゃれな雰囲気が楽しめるスペイン料理レストラン。すべておいしいですが、なかでも感動的だったのは、「뽈뽀(ブルポ)」というタコの料理。やわらかいスペイン産のタコとジャガイモのピューレが絶妙です。

麻浦区浦恩路8キル9
12:00~16:00、
18:00~24:00 (LO22:00)
月・火曜　@uno.seoul

市場グルメを楽しめる

望遠市場

マンウォンシジャン　망원시장

弘大の西側、望遠洞にある在来市場。1970年代から愛される地元御用達の市場と、イートインができる食堂やテイクアウトグルメのショップなどが集まり、グルメ市場として話題になっています。

麻浦区圃隠路8キル14，望遠市場
10:00~20:00 ※店舗により異なる
なし　www.facebook.com/mangwontraditionalmarket

ソウルの季節を感じる憩いの公園

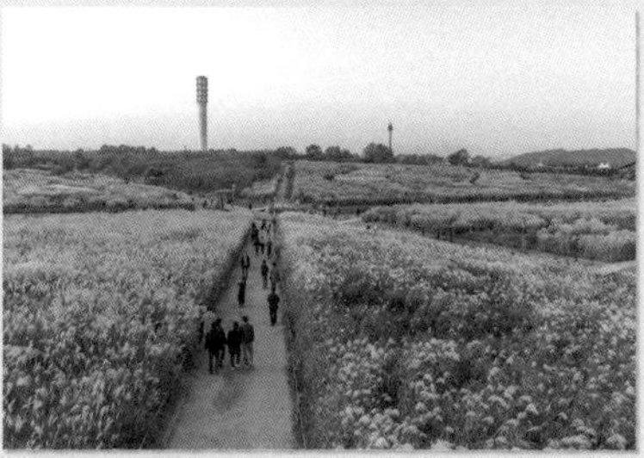

ハヌル公園

ハヌルコンウォン　하늘공원

漢江沿いにある公園で、ススキのほか、季節の花々との撮影スポットがたくさん。10月にはススキ祭りという小さな祭りも開かれ、韓国人たちのインスタのフィードがハヌル公園で埋まります。

麻浦区ハヌル公園路95
7:00~日没後1時間程度
なし　地下鉄6号線ワールドカップ競技場駅 1番出口からタクシーで10分

area | home | study | work | life

IT企業が集結した江南エリアのオフィス街

area :

江南駅周辺 カンナムヨク 강남역

❶江南駅はソウルを代表するビジネス街 ❷観光客向けの店も多数 ❸出勤時の凛とした空気が好き ❹❻昼休憩にNuvolaでジェラート♡ ❺近くには世界遺産「宣陵」もある

気が引き締まる江南のオフィス街が好きです!

江南といっても範囲が広く、江南駅から、新沙や狎鴎亭ロデオまで含みます。クラブや飲み屋、カフェから美容整形外科まで多彩なエリアで、特に20~30代に人気のスポットはロデオ側に集まっています。一方、江南駅~三成駅周辺はオフィス街としてのイメージが強いですね。江南駅、転職後に宣陵駅の会社に通勤していましたが、同じオフィス街でも雰囲気が違います。江南駅は10番&11番出口のメイン通りから1本小道に入るだけで飲食店やカフェがぎっしり並んでいて、学生も多い。宣陵駅は"ザ・オフィス街"で、江南に比べるとやや落ち着いています。韓国の会社員はたいていお昼休みにコーヒーを買って戻るので、どちらの街もカフェ天国です!

江南DATA

暮らしやすさ	★★★☆☆
交通の利便性	★★★★★
治安	★★★★☆

Q どんな街?
グルメ店やカフェ、ホテルが林立する繁華街であると同時に、サムスン電子のような有名企業の本社が集まるビジネス街、少し離れると高級マンションが立ち並ぶ高級住宅街という側面もあります。他エリアと比べ、家賃相場が高め。

Q 平均家賃は?
家賃80万W～、保証金1000万W

Q 地下鉄は?
2号線/新盆唐線:江南駅

Q 最寄り大学は?
なし

通勤時に通いたい便利なスポット

韓国限定も多い大型無印

無印良品 江南

ムインヤンプム カンナム 무인양품 강남

韓国最大の江南店の1階には、食料品と一緒に人気ベーカリー「meal°」が入店し、奥には食事ができるカフェも。お気に入りは1階の日替わり弁当で、出社前に立ち寄ってランチ用に購入することも。

瑞草区江南大路419 ,1-4F
11:00~22:00
なし
www.muji.com/kr

こだわりのジェラート専門店

Nuvola

ヌヴォラ

なかなか見つけにくい建物内にある隠れたジェラート店。店長による手作りジェラートは、ピスタチオや柚子、ラズベリーなど素材を生かした濃厚な味わい。2種まで味が選べ1カップ5000W ～。

瑞草区江南大路53キル12, 3F
12:00~22:00
なし
@nuvola_gelato

江南で遊ぶならド派手ボウリング場へ

テンプルストライク

템플스트라이크

クラブのように華やかな照明と音楽が流れる、韓国ならではのボウリング場。お酒を飲みながら楽しめ、蛍光色のボールや靴がポイントです。平日17時までは1ゲーム2000W(1ドリンク制)。

瑞草区江南大路61キル13,B1F
11:30~翌5:00
なし
@templestrike_gangnam

いま、一番アツイ、コーヒーチェーン

Camel COFFEE 10 号店

カメルコピ シボジョム 카멜커피 10호점

今韓国で一番ホットだと言っても過言ではないカフェ。オフィス街にある支店ということもあって、お昼休みは会社員たちが集まって、外の椅子でのんびりしています。ラテ6000Wほか。

瑞草区新盤浦路176 ,新世界百貨店 B1F
10:30~20:00 (金~日曜・祝日~20:30)
不定休
@camel__cafe

就職しても住みやすい便利なエリア

area :

ソウル大入口駅周辺 ソウルデイブクヨク 서울대입구역

❶坂が多いことでも有名 ❷お気に入りの温故アイス ❸冠岳山は週末登山の人気スポット ❹隠れ家のような温故知新 ❺アンニョン菓子店のかわいい看板 ❻繁華街のシャロスキル

会社員にも学生にも
20〜30代に人気の下町エリア

「ソウル大入口」という駅名ですが、実はソウル大学からはかなり距離があり、歩くと30分ほどかかります。この辺りは坂が多い代わりに家賃が安いことで有名。治安もよく静かで、マートやローカル市場へのアクセスも◎、ソウル市内のどこへでも交通の便がよく、特に江南エリアに通勤する会社員にも人気のエリアです。古い住宅も多いですが、新しいオフィステル（→P.047）が増え続けており、比較的きれいな物件を見つけることができます。そして、ここ数年はおしゃれなカフェや居酒屋、おいしい飲食店の集まった通り「シャロスキル」も有名。通り沿いにびっしりと店舗が並び、食ではまったく困りません。20～30代に人気のスポットとなっています。

ソウル大入口DATA

暮らしやすさ	★★★★☆
交通の利便性	★★★★☆
治安	★★★★☆

Q どんな街？
江南駅から地下鉄で約13分の距離だが下町風情が漂うエリア。繁華街はシャロスキル周辺。駅から南には韓国最高学府として知られる「ソウル大学」があり、さらに南には都市自然公園に指定された冠岳山がある。

Q 平均家賃は？
家賃50万W、保証金500万W

Q 地下鉄は？
2号線：ソウル大入口駅

Q 最寄り大学は？
ソウル大学

レトロかわいいシャロスキルの名店

日本食が恋しいときにおすすめ

キッサソウル

킷사서울

日本食がテーマのようで店名の「キッサ」も「喫茶」が由来。豚丼1万2000W、醤油シャケ丼1万5000Wがシグネチャーメニュー。日本と韓国のフュージョン料理もあり、辛いすき焼きが人気。

冠岳区南部循環路226キル31,2F
11:30~15:20 (LO14:00)、17:00~22:00 (LO21:00)
無休　@kissa.seoul

レトロモダンなインテリア

温故知新

オンコジシン 온고지신

レトロな雰囲気と今っぽさが共存した"ニュートロ"カフェ。おすすめは缶で出てくるミルクティ6000Wとよもぎラテ。デザートは温故アイス6500W（きな粉餅を凍らせたようなアイス）がおいしいです。

冠岳区冠岳路14キル 101
12:00~22:00
なし
@ongozisin

質の高い焼き菓子はギフトにも

アンニョン菓子店

アンニョンクァジャジョム 안녕과자점

焼き菓子がディスプレイされたテイクアウト専門店。クオリティの高い焼き菓子ばかりで、特にカヌレとレモンケーキがとても美味。日本の映画に影響された世界感は、どこか懐かしい雰囲気。

冠岳区南部循環路228キル20
13:00~21:00
月・火曜
@annyeongdessert

koreayu's love item koreayu's love it

こりあゆ's オキニ タウン編

友人と遊んだり食事をしたり。週末に楽しみたいときに訪れるお気に入りの街を紹介します。
ソウルはビルが林立する"都市"のイメージが強いですが、実は四方を山に囲まれ、
都市公園も多いんです。ちょこっと気分転換が楽しいのもソウルのいいところですね。

聖水洞

성수동
ソンスドン

新たなトレンドの発信地として注目の街。70年代は町工場が並ぶ一帯でしたが、再開発後はアートやファッションなどの中心地に。話題のカフェも多く私も大好きな街です。西側には都市公園「ソウルの森」もあり、自然散策も楽しめますよ。

地下鉄2号線聖水駅〜トゥッソム駅一帯

今いちばんソウルで熱いおしゃれタウン

倉庫をリノベしたカフェ「大林倉庫」ではアートも楽しめる。入口の前は撮影のスポット!

オキニ 1 松花山西刀削面

송화산시도삭면
ソンファサンシドサッミョン

予約も配達も不可、お店に行って並ぶしかない中国料理店。毎日とにかく行列で、夜は最低1時間待ちを覚悟! 似たような店はたくさんありますが、ここの刀削麺9000Wはもちもちで最高に美味です。

広津区トゥッソム路27キル48
11:00〜23:00(土・日曜は16:00〜17:00BT)
火曜　なし

行列覚悟でも食べたい刀削麺

もちもち麺がたまらない!

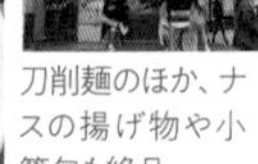

刀削麺のほか、ナスの揚げ物や小籠包も絶品

多彩なプレッツェルが楽しめる

ちょっぴりスパイシー!

プレーンは3800W、バターペッパー 5500W、シナモン4800W

オキニ 2 Breadypost 聖水店

ブレディポスト　ソンスジョン

ソウルに4店舗を展開する話題のプレッツェル専門店。クオリティの高いプレッツェルが食べられます。シグネチャーはバターペッパーですが、個人的にはプレーン、シナモン4800Wが好き!

城東区上院1キル5
10:00〜20:00
なし
@breadypost_bakery

koreayu's love item koreayu's

※BT:ブレイクタイム(休憩時間)

文来洞

문래동
ムンレドン

鉄工場街がアート村に

鉄鋼部品工場が集まる地帯から、芸術家が集まる街へと変化し、ここ2～3年ではMZ世代が集まるホットプレイスに。古い工場跡地がアートスペースやカフェに再生され、ストリートアートが点在しているのも面白い。レトロな雰囲気のバーやレストランも人気です。

⌂ 地下鉄2号線文来駅周辺

街には、ブリキのオブジェが。鉄鋼街の片鱗があちこちに

オキニ3 イチリヤ

잇힐리야

ムグンジキムチツナ巻きがとてもおいしく、韓国のハーブで作ったチヂミ「방아전(バンアジョン)」が有名です。店舗のオープンカウンターもおしゃれで、大人の韓国料理&お酒が楽しめる店です。

⌂ 永登浦区文来洞2街42-4
🕓 17:00~24:00 (土・日曜16:00~)
🔒 月曜　◎ @streetduck_official

お酒と料理をゆっくりと楽しむ

マッコリとよくあう

バンアジョンと甘いマッコリの相性が◎で、お酒が進む

大学路

대학로
テハンノ

100以上の小劇場が集まる演劇の街です。アルコ芸術劇場の前にあるマロニエ公園は、パフォーマーが出没する公園で、多くの観客が集まります。ドラマでも話題の成均館大学も近くにあり、留学生の遊ぶスポットとしても人気がありますよ。

⌂ 地下鉄4号線恵化駅周辺

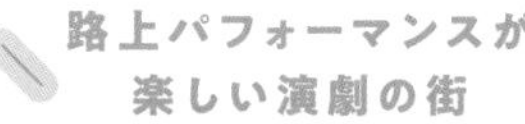

路上パフォーマンスが楽しい演劇の街

芸術劇場前のマロニエ公園。週末はバスキン(路上パフォーマンス)が楽しめる

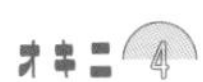

オキニ4 駱山公園

낙산공원
ナクサンコンウォン

大学路の東、小高い丘の上にある公園。古い城郭もロマンたっぷりで素敵ですが、東大門やNソウルタワーなどの夜景も見事で、ロケ地としても有名です。お散歩がてらどうぞ!

⌂ 鐘路区駱山キル54　🕓 24時間
◎ 地下鉄4号線恵化駅から徒歩15分

韓ドラロケ地の大定番

駱山公園の風景!

hash tag : #지하철2호선(チハチョル イホソン)（地下鉄2号線） #가성비(カソンビ)（コスパ）

area : 不動産のプロに聞いてみた! 需要別・移住におすすめの街

便利な路線に住みたいですが、何線がいい?

便利度なら、地下鉄のなかでも“ソウルの山手線”の2号線を!

2号線のなかでも、新村や梨大、弘大（P.026～029）といった学生街は常に人気が高いのですが、近年は永登浦区周辺エリアも新しい商業施設が登場し、1人暮らし用の物件が増えています。

新村駅 P.026
弘大入口駅 P.028
永登浦区庁駅
文来駅 P.035
新道林駅

再開発で注目のエリアに

新道林駅は、ソウルでも利用率の多い駅

新道林駅直結の「現代百貨店D-CUBE CITY」には映画館や劇場のほか、マートのホームプラスも入店しており超便利!

新道林駅

シンドリムヨク 신도림역

「元々工場地帯でしたが、再開発により住居用の団地が増え、「現代百貨店D-CUBE CITY」などの大型商業施設も登場。2号線のほか、京釜電鉄線1号線も利用できるため、通勤時間は混み合いますが交通の便はばっちり。隣駅の文来洞や、桜がきれいな道林川も徒歩圏内で、休日も充実して過ごせます。」

新道林DATA

暮らしやすさ	★★★★★
交通の利便性	★★★★☆
治安	★★★★☆

Q どんな街?
行政区的には駅の西南が九老区となり、手頃なワンルームが多い。団地が多いためマートなども多く、生活しやすい。

Q 平均家賃は?
家賃は55万W～、保証金は500万～1000万W

自然と都市が共存した街

永登浦区庁駅（永登浦区周辺）

ヨンドゥンポグチョンニョク 영등포구청역

文字どおり「永登浦区庁」があり、地下鉄2・5号線の乗り換え駅としても知られます。徒歩15分ほど離れた永登浦駅近くには、巨大な複合施設「永登浦タイムスクエア」があり、買い物も充実。また、東側には永登浦伝統市場、西側にはロッテマートやコストコなどあり、生鮮食品なども入手しやすいのが特徴。漢江も近く、散歩も楽しめますよ。

永登浦区DATA

暮らしやすさ ★★★★☆
交通の利便性 ★★★★★
治安 ★★★☆☆

Q どんな街？
近年開発が進んでおり、大型マンションなど住宅が増えている。買い物も自然も近く、バランスのとれた住環境。

Q 平均家賃は？
家賃は65万W～、保証金は1000万W

映画館やデパートも館内にあり!

❶汝矣島も近く、ほどよく自然に親しめる
❷永登浦タイムスクエアも近い

2号線には住みやすいエリアが多数!

梨大駅 ⊳⊳P.026
往十里駅
聖水駅 ⊳⊳P.034
江南駅 ⊳⊳P.030
ソウル大入口駅 ⊳⊳P.032
新林駅 ⊳⊳P.038

往十里駅

ワンシムニョク 왕십리역

地下鉄2号線と5号線、京義中央線と盆唐線という合計4路線が乗り入れる巨大な駅。駅に併設する形でショッピングセンター、eMARTなどがあり、買い物や映画などが楽しめます。なお、漢陽大学のソウルキャンパスが近く、居酒屋や手頃な飲食店が集まる学生街でもあります。ワンルームやコシウォンなど賃貸物件もそろっています。

往十里DATA

暮らしやすさ ★★★☆☆
交通の利便性 ★★★★★
治安 ★★★★☆

Q どんな街？
往十里駅と漢陽大学駅の間に「漢陽大学」がある。学生街らしく手頃な飲食店や居酒屋が多いが、学校周辺は落ち着いたエリア。駅併設のマートも便利。

Q 平均家賃は？
家賃は60万W～、保証金は1000万W

漢陽大学＆建国大学の学生街！

❶駅直結の複合施設には、eMARTや映画館、ショッピングモール「Enter-6」が入店
❷漢陽大学

コスト重視です。コスパのいいエリアは?

ちょっと外れた
誠信女大入口駅、新林駅辺りは狙い目です

ソウルは山がちな地形で坂の多い街は家賃相場が低い傾向に。冠岳区のソウル大入口（→P.032）や新林、城北区の誠信女大入口では手頃な部屋が見つけやすいです。

伝統ある女子大の周辺

誠信女大入口駅

ソンシンヨデイックヨク 성신여대입구역

女子大のお膝元!

誠信女子大学のある城北区は、高麗大学や漢城大学など7つの大学が集まる教育区。駅から正門に続くメインストリートにはコスメやファッションの店舗が並び、学校周辺には賃貸物件が集まります。同じ学生街ですが、弘大や梨大などと比べると、こぢんまりとしていますよ。

誠信女大入口DATA

暮らしやすさ	★★★☆☆
交通の利便性	★★☆☆☆
治安	★★★★☆

Q どんな街?
女子大のお膝元なだけに、カフェやショップ、コスメ店などが並び、ほどよく賑やか。

Q 平均家賃は?
家賃は70万W～、
保証金は500万W

❶4号線が乗り入れており、大学路のある恵化駅へは2駅の距離。映画『パラサイト』のロケ地となった城北洞も近い　❷誠信女子大学

ソウル大学の学生が集まる

新林駅

シンリムヨク 신림역

地下鉄2号線のほか、2022年からは軽電鉄新林線が開通し、汝矣島（ヨイド）からソウル大学正門前を結んでいます。新林駅の北西部分はワンルーム物件の集中地域として知られ、人口も増加中。ただし、歓楽街とも隣接しているので注意が必要です。

ルネッサンスショッピングモール裏は飲み屋が集まる歓楽街。周囲の環境や、駅からの帰り道などに注意して物件を選んで!

ソウル大の留学生も多い

新林DATA

暮らしやすさ	★★★☆☆
交通の利便性	★★★☆☆
治安	★★☆☆☆

Q どんな街?
ワンルームの多い地区、歓楽街、TIMES STREAM周辺、伝統的な飲食街と、駅を中心にエリアごとに雰囲気ががらりと変わる。

Q 平均家賃は?
家賃は55万W～、
保証金は500万W

❶近くのボラメ公園
❷おいしい飲食店が多い

遊びも充実した街に住みたいんです…

日本人学校もある麻浦エリアは穴場の宝庫！
トレンドからカフェ巡りまで楽しめます

日本人学校が移転したことで新たな日本人街となりつつある麻浦区上岩洞。テレビ局が集結し、推し活移住にもピッタリです。また、望遠洞〜合井洞ではカフェ巡りを楽しみつつ、静かな環境で住むことができます。

エンタメ好きにはたまらないエリア

デジタルメディアシティ駅｜上岩洞

Digital Media City 역｜サンアムドン 상암동

ドラマロケも多いDMC！

上岩洞にあるデジタルメディアシティ（DMC）はKBS、SBS、MBCの3テレビ局が集結した街。DMCに日本人学校が移転したこともあり、水色洞など周辺地域を含めて日本人街を形成しています。隣駅の弘大、漢江沿いのハヌル公園もあり、休日の楽しみも。eMARTや「水一市場」もあります。

デジタルメディアシティ DATA

暮らしやすさ	★★★★☆
交通の利便性	★★★☆☆
治安	★★★★☆

Q どんな街？
上岩地区につくられた近未来都市的な街。DMCから南側の麻浦区庁辺りにオフィステルが点在。

Q 平均家賃は？
家賃は60万W〜、
保証金は1000万W

❶ススキで有名なハヌル公園は散歩に、デートに人気　❷DMC

落ち着いた雰囲気のカフェ天国

望遠洞

マンウォンドン 망원동

6号線「望遠駅」から西側に広がる街で、カフェ天国としても知られます。ソウルのトレンドを楽しみつつ、住まいは静かな環境で、という人におすすめです。在来市場「望遠市場」など、おいしい店が多く、食には困りません！　地下鉄2・6号線が利用できる隣駅「合井駅」も含め、単身用の賃貸物件が点在します。

弘大も徒歩圏内！

望遠洞 DATA

暮らしやすさ	★★★★☆
交通の利便性	★★★☆☆
治安	★★★★☆

Q どんな街？
漢江沿いの「望遠漢江公園」は散歩の名所。静かな住宅街が広がっており、落ち着いた雰囲気。

Q 平均家賃は？
家賃は60万W〜、
保証金は1000万W

❶望遠漢江公園　❷望遠駅前の通り

CHAPTER

2 HOME

ソウルでおうち探し

ソウルエソ　チプ　チャッキ
서울에서 집 찾기

私を成長させてくれた経験こそがおうち探し。
時間とタイミング、運も味方に、
ベストのおうちを探してみて！

韓国に移住するには、まずは住むおうちから探さなくてはいけません。
私は新しい環境に移ると気持ちがシャキッとすることもあって、
引っ越しが割と好きなほう。おうち探しも楽しみながらやっていました。
しかし、いくら文化や言語に慣れても、ここは外国。日本のように、あらかじめ数カ月前に契約をするのではなく、韓国では数週間前～1カ月前の契約が一般的。2カ月以上前におうちを見つけてもすぐに入居ができない場合、断られることもしばしば。つまり、韓国でのおうち探しは時間との戦い。そしてタイミングと運もとっても大事、なんです!
私にとっての引っ越しとは、おうちがグレードアップするだけではなく、大家さん、不動産屋とのトラブルといった紆余曲折と、隣人などとのやりとりを経て、韓国生活の経験値を一気に高めてくれたもの。
時には言いくるめられそうになったり、時には韓国あるあるの「とりあえず言ってみる」ことで、どうにかなったり。
韓国旅行では経験できないリアルな韓国の文化を、身をもって経験できる機会にもなります。
今では在韓13年間で、環境もお部屋も一番気に入ったおうちに住んでいます。学生時代と社会人になってからとでは、おうち探しの基準が異なるので、追求する条件も変わってきました。そんなおうちの変化が、自分の韓国生活の変化を映し出しているようで、ちょっと面白いです。

コシウォン、下宿、ワンルーム、オフィステル。韓国ならではのおうちに、
ひと通り住んできた私の家探しエピソード、参考になったらうれしいです。

経験値がぐんと上がる おうち探しを楽しもう!

おうち探しとは、いわば韓国文化のフルコンボ。大家さんや隣人といった韓国人との人づきあいに始まり、水道や電気といった住まいにまつわる知識、そして家賃や光熱費などのお金など、韓国生活のリアルをおうち探しのなかでひと通り経験することができます。韓国語での交渉などハードルは高めですが、ソウルでの経験値がぐんと上がりますよ!

韓国式ユニットバスは、トイレ×洗面台×シャワー。**湯船は基本ない**のです

P.061

1人暮らし用の賃貸物件には基本湯船がなく、ほぼ仕切りのないユニットバス。水回りにこだわる場合、家賃が高めになる傾向が!

싸요（安い）

おうちを借りるのに**必要なのは賃貸料だけじゃない!**

保証金、管理費、掃除費…etc.

P.052

日本で1人暮らしする場合、「敷金・礼金」のほか家賃を用意しますが、韓国では敷金等はなく、初期費用としてまとまった額の保証金のほか、管理費などが必要になります。

電気代が安い。

ワンルームで1人暮らしなら節電なしでも**1カ月で500円くらい**

P.056

韓国は水道や電気、ガスといったライフラインは国が運営しているため、日本に比べかなりリーズナブルです!

留学中の**引っ越しは当たり前。**
理想のおうち探しは**アプリ**でサクサクッと。 ▷▷P.048・058

韓国ではおうちも引っ越し業者もアプリで簡単に探せます。また日本は「敷金・礼金」を貯めるまでは引っ越しが難しいですが、韓国の場合、保証金がほぼ満額戻るため、次の物件に充当しやすいんです。

部屋や環境はもちろん大事。
でも、同じくらい**大事なのは、**
家の管理をしてくれる**大家さん**です。 ▷▷P.062

家賃や管理費は大家さんが決めるもので、交渉次第で割引もあります。とにかく大家さんの裁量権が強く、上手につきあっていくことが大切!

ソウルは実は、**坂が多い!**
韓ドラお約束の絶景部屋は、
アクセス至難の物件
なのです。 ▷▷P.061

韓ドラでよく登場する〝市内一望の屋根部屋〟ですが、その景色はかなり坂の上の家ということ。実はソウルは山がちの地形で、急な坂道がある街も多いのです。

ビラ、コシウォン、オフィステル??
わかるようでわからない…
韓国の物件とは。
▷▷P.046

韓国は家の種類が多く、各物件の家賃に含まれる内容が異なります。

韓国には毎月家賃を支払う월세(ウォルセ)と、事前に2億Wなど高額の保証金を支払う전세(ジョンセ)という制度があります。ジョンセだと、月の家賃はゼロ! 管理費程度しか払いません。

高額の保証金を払って、
実質家賃0円!?
謎の家賃システム「ジョンセ」とは? ▷▷P.053

hash tag : #외국인등록증（外国人登録証）

ウェグギントゥンノッチュン

to do : ソウル上陸を果たしたら…

おうち探しを始めよう!

1

「さあ、おうち探し!」となる前に、ソウル現地でそろえなければならないものが3つあります。ひとつは「外国人登録証」（詳しくは右ページ）です。韓国に入国した日から91日以上滞在する日本人は、発行が義務づけられています。これは韓国での身分証明書として利用できるほか、携帯電話や住居の契約、保険加入時など、さまざまなシーンで必要になります。

そして、我々のライフラインといえば「携帯電話」。韓国の電話は日本に比べて通話料&ギガ量も多めで安いのが特徴です。ただし、前述の外国人登録証が手元にない場合は、契約ができません。そのため登録証ができるまでは、韓国の電話番号がもらえる「プリペイドeSIM」を日本で購入するのが、最も手軽でリーズナブルな方法だと思います（インターネットでも多数販売しています）。最後に「銀行口座の開設」。日本では開設できず、韓国現地を訪れる必要があります。韓国の銀行口座は、家賃や留学先への振込、アルバイト料の受け取りなどで利用するので、こちらも外国人登録証ができたら、すぐに訪れるようにしましょう。

ここまで準備したら、本格的におうち探しの開始です!

何はともあれ「外国人登録証」を入手して。さまざまな手続きに必要になります!

KEBハナ銀行は日本にも支店がある

こりあゆ memo

ソウル渡航直後の住居はどうする?

ソウルへ留学する人は、最初の1学期分の住まいについては、不動産や留学エージェントに滞在の契約を手伝ってもらったり、寮などを利用したりすることが多いようです。渡航前に家が決まっているので、安心してソウル入りできます。その後、外国人登録証などの準備をする間に、新しい住居を探し、引っ越すという流れが一般的です!

慶熙大学の学生寮。こんな素敵な寮にステイしたい!

事前準備～おうち探しまでの流れを把握！

おうち探しをする前に、契約に必要不可欠な3つのものをそろえましょう。
身分証となる「外国人登録証」、必須アイテム「携帯電話」に、「銀行口座の開設」です。

1 入国後90日以内（書類が整ったらすぐ申請）
外国人登録証を登録する

外国人登録証は韓国に3カ月以上滞在する人は発行が必要です。発行期限は、韓国に入国してから90日以内。この間に申告を行わないと罰金が科されてしまいますので、入国後に提出書類がそろった時点で登録するのがおすすめです。発行までは2～4週間ほど、なかには2カ月以上かかったという話も聞きますので、とにかく早めに動きましょう。

2 入国後90日以内（外国人登録証ができたら契約）
韓国の銀行口座を開設する

身分証明書(外国人登録証、パスポート)を持参し、銀行の窓口にて口座開設を申し込みます。口座が開設されると、通帳(デビットカード)が発行されます。

3 入国後90日以内（銀行口座＆外国人登録証ができたら契約）
韓国の携帯電話を登録する

韓国の携帯電話の契約は現地のスマホショップで行います。契約にあたり「外国人登録証」と引き落とし用の銀行口座、パスポートなどが必要ですので、申請を済ませておきましょう。韓国の携帯はプランが多く、比較的料金が安いことがメリット。ただし、契約時の説明が複雑なので、通訳してくれる人と一緒に行くことをおすすめします。

「外国人登録証」申請方法Q＆A

Q 申請はどこでする？
ソウルには3つあり、「ソウル出入国・外国人庁」と「ソウル南部出入国・外国人事務所」と「世宗路出張所」にて申請可能。※

Q いつする？
韓国に入国してから90日以内。

Q 何を持っていく？
外国人登録申請書、パスポート、手数料、登録用の写真1枚、現住所を証明できる書類。ほか、滞在資格別に必要とされる書類（ビザの種類によって異なる)。

※申請は「ハイコリア」にて事前予約が必要。

www.hikorea.go.kr

「銀行口座開設」のための書類

- 身分証明書（パスポート、外国人登録証）
- 留学や就業などを証明する書類（入学許可書、在学証明書など)※
- 居住していることを証明する書類（公共料金請求書・領収書など)※

※銀行によって必要書類が異なります。

韓国ではペダル(配達)やオンラインショッピングなどの会員登録にも、電話番号認証が必須です。そのため長期滞在の人は韓国の電話が必須です！

4 どのエリアに住むかを検討する P.018～

居住したいエリアを絞ります。学校やバイト先の場所からの利便性、家賃の安さ、遊びの充実度など、いろいろと検討しましょう。

5 不動産屋で内見＆契約 P.048～

住みたいエリアの不動産屋に行き、内見をさせてもらいます。韓国の場合、素敵なおうちは即決されるので、いい出合いがあれば即決を。

6 行政手続きで“おうち探し”完了！ P.056～

住むおうちが決まった後にも行政手続きがあります。「確定日時」のほか、「住宅賃借契約」「外国人登録証の住所変更」は義務です！

hash tag : #방(部屋) #매물(物件)

to do : かなり独特!
韓国ならではの物件の種類

物件の種類を把握して、ニーズに合うタイプを探して!

韓国にはコシウォン、下宿、オフィステルなど、韓国ならではの家のタイプがあります。私は韓国で学生生活から会社員生活もしているため、ほとんどのタイプのものに住んだことがありますが、それぞれタイプ別に利点が異なります。韓国に住みながら、私が個人的に好きだった家は「下宿」と「ワンルーム」。お金のない学生時代は学生寮も考えましたが、性格的に1人でいる時間が必要だった私には、寮生活はできないと判断しました。韓国に来たばかりの頃は保証金なしで契約ができる「ハスク(下宿)」と「コシウォン」に住みましたが、探せば広いお部屋はいくらでもあります。なかでも食事が提供されるハスクは、とても気に入っていました。そして大学生活&新社会人生活で、居住していたワンルームは比較的安い家賃にもかかわらず、洗濯機からベッドまでフルオプションだったので家電などを買いそろえる必要がなく、とてもありがたかったです。なお、物件によって、契約期間には決まりがあります。1年以上住むつもりなら、ワンルームやオフィステル、滞在が1年未満ならコシウォンやシェアハウスを検討するといいでしょう。

こりあゆ memo

超集中の勉強部屋! 고시원

コシウォン(コシテル)は生活のための家具やトイレなどは部屋にあり、キッチンやシャワーは共用の施設。でも、部屋の広さは2~3畳ほどで歩くスペースがあるかないか…。本当にただ寝るためにつくられた部屋です。コシウォンのコシは「考試」。昔から試験を準備する学生が勉強に集中するための部屋なので、長期滞在はキツイかも!

コシウォン(コシテル)。キッチン共用、保証金・光熱費・水道代は負担なしで、家賃48万~50万W
(写真提供:エイブルソウル店)

物件の種類はおもに4つ

オピステル
오피스텔
オフィステル

ワンルームの機能に加え、部屋も広め。立地などもよい

家賃★★☆ 安全性★★★
広さ★★★ 利便性★★★

家賃 **60万W～** 契約期間 **1年～**

部屋の設備・広さなどはワンルームと大きく違いはありませんが、オプションが相対的に多め。共用スペースが広く、管理費が高めです。また居住用でなく「商業用」に分類される施設のため、比較的アクセスが便利な立地にあります。保証金は1000万Wが目安。

施設&立地よし! でも金額は高め

ワン ルム
원룸
ワンルーム

台所や洗濯機を室内で利用できる! 部屋も比較的広め

家賃★★☆ 安全性★★☆
広さ★★☆ 利便性★★☆

家賃 **50万W～** 契約期間 **通常1年～**

ワンルームは日本とほぼ同じ概念で、長期滞在向きです。冷蔵庫、エアコン、洗濯機などは付いていますが、電子レンジやベッドなどは自分でそろえるケースも多く、その場合は初期費用がかかります。保証金は500～1000万W。管理費や光熱費など家賃以外の費用がかかります。

部屋タイプも多様にそろう

写真提供:エイブルソウル店

シェオハウス
셰어하우스
シェアハウス

近年増えているシェアハウス。国際交流にも

家賃★★★ 安全性★★★
広さ★☆☆ 利便性★☆☆

家賃 **50万W～** 契約期間 **1年～**

キッチンや洗濯場などの共用スペースと、家具やベッドなどを備えた個人部屋があり、数人で住むシェアハウス。学生街に多く、留学生同士が集まるケースも。保証金も100万W～と、学生でも住みやすい条件になっています。女性専用などもあります。

最近増えているお部屋のスタイル

写真提供:エイブルソウル店

ハ スッ
하숙
ハスク(下宿)

掃除などのお世話と朝・夜2食付き。光熱費なども無料!

家賃★★★ 安全性★☆☆
広さ★☆☆ 利便性★☆☆

家賃 **50万W～** 契約期間 **6カ月～**

家主が同じ建物に住んでいて、食事や掃除など面倒を見てくれます。間借りのような所もあれば、学生用の部屋が並ぶ寮スタイルの所も。トイレ・シャワー・キッチンは共用で、朝・夜2食が用意されています。保証金なし、光熱費・水道代・ネット代負担なしと学生に最適!

設備は古い場合が多いかも…

hash tag：#집 찾기（家探し） #부동산（不動産）

to do：

お部屋探し! 契約するの巻

韓国で家探しするときは、アプリ活用か、不動産屋に相談するのが基本です！

日本で賃貸物件を探す場合は、インターネットで不動産物件を探したり、不動産情報誌をチェックしたりしますよね。韓国には情報誌はなく、インターネットやアプリで検索するか、地元の不動産屋さんに聞くかになります。アプリには代表的なものが2つあり、ひとつは「다방（タバン）」、もうひとつは「직방（チッパン）」です。保証金や賃貸費用、あるいは地図から絞り込んで、写真などを見ながら物件を探します。気になる部屋があったら、担当している不動産屋に電話をして、内見を申し込むという流れです。内見からは時間勝負! いい物件は即決されることも多いので、「他の物件も見てから…」と慎重に構えていると、すぐになくなってしまいます。また、アプリの画像は部屋をよく見せるために撮影しているので、イメージと全然違うというケースもあります。こればかりは、実際に見てみないとわからないので、内見は必ず行うようにしましょう。また、不動産屋に直接行くケースもあると思います。その場合は、地域の物件のみを取り扱うことがほとんどです。たとえば「回基」の不動産屋で「江南」の物件を扱うということはほぼありません。住みたい街の不動産屋を訪れるのが基本です！

こりあゆ memo

おうち探しの必須 2 大アプリ

不動産アプリの「タバン」と「チッパン」は、検索性はほぼ同じ。地図や写真もあるので見ているだけでも楽しめます。ただ、貸主が情報を挙げており、実際の部屋の画像と違うケースも。家賃相場と合わない"つり物件"もあり、内見で必ず確認しましょう。

地図＆エリアから絞り込み検索

다방
タバン

部屋のタイプから絞り込み検索

직방
チッパン

家探し～契約までのフローはこんな感じ

1 ネットやアプリで エリア＆物件をリサーチ

アプリ（左ページ）で検索して、内見を希望する部屋を絞り込む。言葉に自信がない人は日本語が通じる不動産屋に問い合わせる手もある。

2 気になる物件を決めたら、不動産屋を予約

1で見つけた部屋の管理会社に問い合わせをし、内見を予約する。ほかにも条件に合う物件があれば見せてもらうように依頼するとよい。

3 内見をする。気に入ったら即契約！

内見時には、スタッフへの質問やチェックポイントを決めて、韓国語でも聞けるようにしておこう。契約に至ることを考えて契約金の準備も忘れずに。

4 契約書作成と契約金を支払い、契約を交わす

内見後、時間があれば、不動産屋にて契約書を作成（必要なものは右記）。契約時には保証金の10％を契約金としてオーナーさんへ支払います。

詳しくは ▶▶P.051

契約時に用意するもの

- ○ パスポートor外国人登録証
- ○ 保証金の一部（10％が一般的）
- ○ 韓国での電話番号
- × ビザ
- × 印鑑

Close-up!

内見のチェックポイント

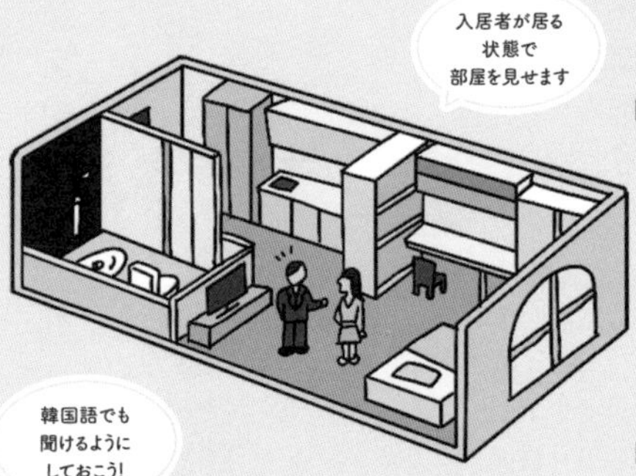

入居者が居る
状態で
部屋を見せます
韓国語でも
聞けるように
しておこう！

☑ オプション家具か入居者の私物かを確認

家具や電気製品が備え付けの場合が多い（オプションについて→P.050）。居住者がいる状況での内見なので、オプション家具or私物かを確認しよう。また、オプション家具に傷や不具合がないかもチェック！

☑ 光熱費と家賃の支払い方法を確認

家賃はオーナーへの口座振込がほとんどだが、自動引き落としやカード支払いが可能かを確認。光熱費は直接請求書が郵便で届く場合と、管理費に含まれる場合がある。

☑ 施設の管理は誰がするかを確認

家の管理はオーナーの管轄だが、なかには管理会社などが行うことも。設備の不調時などの問い合わせ先を確認しておこう。

☑ 内見時のチェックリスト

1. **照明**は点灯する？
2. **水**は出る？ **水漏れ**は？
3. **ドア**や窓は正しく**開閉**する？
4. すべての**鍵**は閉まる？
5. **電気機器**は正しく作動する？
6. **オプション家具**に汚れや破損は？
7. 不具合があった場合の**連絡先**は？
8. **壁**の厚さは？ 隣人の生活音は？

オプション(備え付けの設備)を知っておこう!

もともと部屋に備え付けてある家具をオプションといい、冷蔵庫・エアコン・洗濯機など生活の必需品をそろえている場合を、「フルオプション」といいます。これらは保証金に含まれており、設備が破損した場合の修理費などはここから引かれて返金されます。コシウォン、下宿やシェアハウスの場合、洗濯機やキッチンは共用ですが、ベッドや机、椅子、クローゼットまで、「すぐに生活を始められる」程度にそろっています。一方、ワンルームやオフィステルの場合、フルオプションのほか、キッチンやガス台、洗濯機、トイレ、シャワーなどが部屋に備わっています。しかしベッドなどは自前の場合も多く、初期費用がかかります。

▽部屋別オプション比較表

	コシウォン	ワンルーム	オフィステル
洗濯機	△(共用)	○	○
冷蔵庫	○	○	○
テレビ	○	×	△
エアコン	○	○	○
オンドル	○	○	○
シンク	△(共用)	○	○
ベッド	○	△	×
クローゼット	○	△	○
Wi-Fi	○	△	×
電子レンジ	△	△	×
布団	×	×	×
机・椅子	○	△	×
トイレ	△(共用)	○	○
シャワー	△(共用)	○	○

○:備わっている　△:物件による　×ほぼない

保証金500万W、家賃50万Wのワンルーム。ベッドはオプションでなく自前

窓が大きめで快適だったワンルーム。キッチン、冷蔵庫のほか洗濯機がベランダにありました

新築のオフィステル。キッチンのIHコンロなど、最新設備がうれしい!

こりあゆ memo

おうち探しは入居2カ月前から!

韓国では、契約満期の2カ月前までに、退去の意思をオーナーに伝える義務があります。そのため、部屋の空き状況を把握できるのは、早くても2カ月前から。たとえば3月末に入居予定なら、1月末から部屋探しをはじめます。なお入学や転勤の時期と重なる2～3月/8～9月は特に入居希望者が多い時期。早めにリサーチをするといいですよ。

たとえば3月31日に入居したいなら!

1月31日　前の住人の「退去意思通告」の期限
↓ オーナーが次の入居者を探し始める ※
2月中～3月中旬　不動産屋予約&内見
↓ 気に入ったら、即決がキホン ※
3月31日　入居

※この間、すでに部屋が空いてる場合は、すぐ入居できる人が優先されます。3月31日まで待って欲しいと言っても、大家さんは数週間くらいしか待ってくれません(涙)

契約書は韓国語だけれど必ず読むべし!

契約書の書式は不動産屋ごとに異なりますが、書いてあることはだいたい同じですよ!

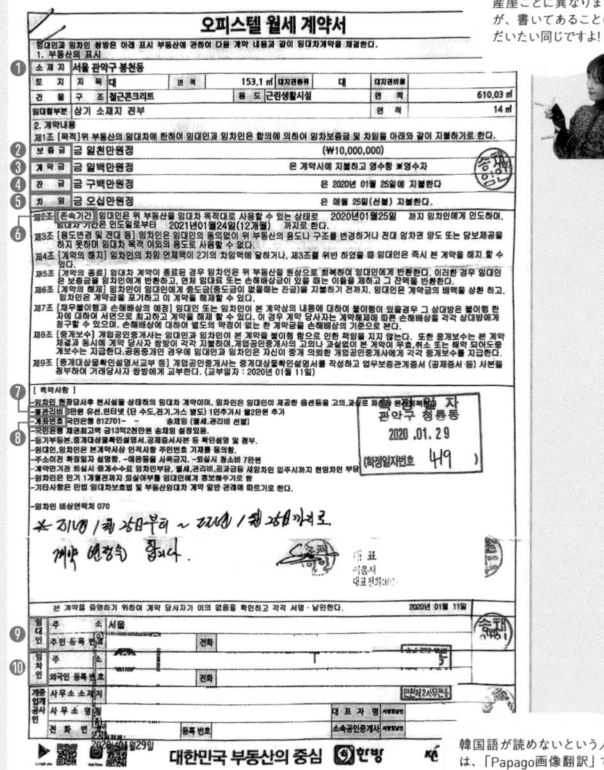

오피스텔 월세 계약서

임대인과 임차인 쌍방은 아래 표시 부동산에 관하여 다음 계약 내용과 같이 임대차계약을 체결한다.

1. 부동산의 표시

❶ 소재지	서울 관악구 봉천동						
토지	지목	대	면적	153.1 ㎡	대지권종류	대	대지권비율	
건물	구조	철근콘크리트	용도	근린생활시설		면적	610.03 ㎡
임대할부분	상기 소재지 전부					면적	14 ㎡

2. 계약내용

제1조 [목적] 위 부동산의 임대차에 한하여 임대인과 임차인은 합의에 의하여 임차보증금 및 차임을 아래와 같이 지불하기로 한다.

❷ 보증금	금 일천만원정	(₩10,000,000)
❸ 계약금	금 일백만원정	은 계약시에 지불하고 영수함 ※영수자
❹ 잔금	금 구백만원정	은 2020년 01월 25일에 지불한다
❺ 차임	금 오십만원정	은 매월 25일(선불) 지불한다.

제2조 ❻ [존속기간] 임대인은 위 부동산을 임대차 목적대로 사용할 수 있는 상태로 2020년01월25일 까지 임차인에게 인도하며, 임대차 기간은 인도일로부터 2021년01월24일(12개월) 까지로 한다.

제3조 [용도변경 및 전대 등] 임차인은 임대인의 동의없이 위 부동산의 용도나 구조를 변경하거나 전대 임차권 양도 또는 담보제공을 하지 못하며 임대차 목적 이외의 용도로 사용할 수 없다.

제4조 [계약의 해지] 임차인의 차임 연체액이 2기의 차임액에 달하거나, 제3조를 위반 하였을 때 임대인은 즉시 본 계약을 해지 할 수 있다.

제5조 [계약의 종료] 임대차 계약이 종료된 경우 임차인은 위 부동산을 원상으로 회복하여 임대인에게 반환한다. 이러한 경우 임대인은 보증금을 임차인에게 반환하고, 연체 임대료 또는 손해배상금이 있을 때는 이들을 제하고 그 잔액을 반환한다.

제6조 [계약의 해제] 임차인이 임대인에게 중도금(중도금이 없을때는 잔금)을 지불하기 전까지, 임대인은 계약금의 배액을 상환 하고, 임차인은 계약금을 포기하고 이 계약을 해제할 수 있다.

제7조 [채무불이행과 손해배상의 예정] 임대인 또는 임차인이 본 계약상의 내용에 대하여 불이행이 있을경우 그 상대방은 불이행 한 자에 대하여 서면으로 최고하고 계약을 해제 할 수 있다. 이 경우 계약 당사자는 계약해제에 따른 손해배상을 각각 상대방에게 청구할 수 있으며, 손해배상에 대하여 별도의 약정이 없는 한 계약금을 손해배상의 기준으로 본다.

제8조 [중개보수] 개업공인중개사는 임대인과 임차인이 본 계약을 불이행 함으로 인한 책임을 지지 않는다. 또한 중개보수는 본 계약 체결과 동시에 계약 당사자 쌍방이 각각 지불하며,개업공인중개사의 고의나 과실없이 본 계약이 무효,취소 또는 해약 되어도중개보수는 지급한다.공동중개인 경우에 임대인과 임차인은 자신이 중개 의뢰한 개업공인중개사에게 각각 중개보수를 지급한다.

제9조 [중개대상물확인설명서교부 등] 개업공인중개사는 중개대상물확인설명서를 작성하고 업무보증관계증서 (공제증서 등) 사본을 첨부하여 거래당사자 쌍방에게 교부한다. (교부일자 : 2020년 01월 11일)

[특약사항]

-임차인 현장답사후 현시설물 상태하의 임대차 계약이며, 임차인은 임대인이 제공한 옵션등을 고의,과실로 파손시 원상회복한다

-❼ 월관리비 5만원 유선.인터넷 (단 수도,전기,가스 별도) 1인추가시 월2만원 추가

-❽ 계좌번호 국민은행 812701- - 송채임 (월세,관리비 선불)

-국민은행 채권최고액 금13억2천만원 송채임 설정있음.

-등기부등본,중개대상물확인설명서,공제증서사본 등 확인설명 및 첨부.

-임대인,임차인은 본계약서상 인적사항 주민번호 기재를 동의함.

-주소이전 확정일자 설명함. -애완동물 사육금지. -퇴실시 청소비 7만원

-계약만기전 퇴실시 중개수수료 임차인부담, 월세,관리비,공과금등 새임차인 입주시까지 현임차인 부담

-임차인은 만기 1개월전까지 퇴실여부를 임대인에게 통보해주기로 함

-기타사항은 민법 임대차보호법 및 부동산임대차 계약 일반 관례에 따르기로 한다.

-임차인 비상연락처 070

확정일자
관악구 청룡동
2020 .01. 29
(확정일자번호 419)

본 계약을 증명하기 위하여 계약 당사자가 이의 없음을 확인하고 각각 서명 · 날인한다. 2020년 01월 11일

❾ 임대인	주소	서울		
	주민등록번호		전화	
❿ 임차인	주소			
	외국인 등록번호		전화	
개업공인중개사	사무소 소재지			
	사무소 명칭		대표자명	서명및날인
	전화번호	등록번호	소속공인중개사	서명및날인

대한민국 부동산의 중심 한방

1 소재지/所在地

(ソジェジ)

契約する物件の住所。

2 보증금/保証金

(ポジュングム)

保証金の総額。退去時に掃除や修理にかかった費用が引かれて、返金される。

詳しくは ≫P.053

3 계약금/契約金

(ケヤグム)

借主(自分)と、不動産屋との間の契約で生じる契約金。不動産屋によって金額は異なる。もし、契約をキャンセルした場合、キャンセル費用として充てられる。

4 잔금/残金

(チャングム)

契約時に支払い済みの手付金を引いた金額。たとえば保証金が500万Wの物件で手付金として200万Wを支払った場合、残金は300万Wとなる。残金は入居時までに支払いが必要。

5 차임/借賃

(チャイム)

毎月支払う家賃。

詳しくは ≫P.053

6 존속기간/存続期間

(チョンソキガン)

物件の賃貸契約期間。契約を継続しない場合は、契約満期日の2カ月前までに大家さんに退去を伝えること。

2カ月前の退去通告を忘れた場合、自動で契約継続に。継続して住めない場合は、次の居住者が見つかるまでの家賃を支払うことになる可能性も!

8 계좌번호/口座番号

(ケジャボノ)

家賃の振込先の口座番号。銀行名、口座番号、受取人名の内容を確認すること。

韓国語が読めないという人は、「Papago画像翻訳」で契約書を写して、日本語に翻訳する手もアリ!

7 월관리비/月管理費

(ウォルカンリビ)

建物の維持にかかる費用で、⑤の家賃とともに支払う。物件や大家さんによって価格が異なる。

9 임대인/賃貸人

(イムデイン)

大家さん(物件の持ち主)の情報。名前、住所、連絡先が記載されている。部屋でのトラブル、設備の不具合などは、この連絡先で大家さんに問い合わせる。

10 임차인/賃借人

(インチャイン)

自分(借主)の情報。自分の連絡先などの情報も記載。

hash tag: #계약(ケヤッ)（契約） #월세(ウォルセ)（月貰＝月の家賃） #전세(ジョンセ)（伝貰）

to do: お部屋の契約、

お金ってどのくらいかかるの？

家賃や管理費以外にもおうちの契約にはお金がかかります！

韓国でおうちを借りる際に必ず必要なのは、まずは「家賃」。そして不動産屋を通して契約するワンルームやオフィステルの場合、韓国ならではの「保証金」が必要なうえ、忘れてはならないのが「仲介手数料」の存在です。韓国では学生が借りるような小さなワンルームでも、部屋を借りる際に500万～1000万Wという大金が必要になります（退去時に大家さんから返金してもらいます）。物件の契約時に一部を振り込み、入居日に残りの保証金&家賃を振り込むケースが一般的です。そして大家さんだけでなく、不動産屋にも仲介手数料を振り込みます。この仲介手数料、意外とぼったくりが多い! 外国人で戦う自信のない方は知人を連れていくとベターです。私も不動産屋と戦ったうちの1人ですが、仲介手数料には計算方法があります（下記）。また、ガス・電気・水道などの「光熱費」、「インターネット使用料」は、一般的に管理会社や大家さんが一括で契約することが多いようですが、支払い方法は「管理費に含む」「各会社から個人宛ての請求書が届く」場合があります。契約時に確認しておきましょう。

こりあゆ memo

仲介手数料の計算方法

仲介手数料は物件により基準は異なってきますが、故意に高い「上限料率」で計算されていないか注意が必要です。計算法は右記の通り。たとえば取引金額は、保証金500万W+（家賃50万W×100※）で5500万Wとなります。この金額に対する上限料率は0.4%になるため、5500万W×0.4%=22万Wが仲介手数料になります。
※取引金額が5000万W以下の場合は「×70」となる

＊取引金額=保証金+（家賃×100）

取引金額×上限料率＝仲介手数料

＊上限料率=0.3~0.9%
（取引金額により異なる）
取引金額5000万W未満→0.5%
取引金額5000万~1億W未満→0.4%
取引金額1億~3億W未満→0.3%

家賃にはおもに2種類あり！

韓国には「ウォルセ」と「ジョンセ」という独自の賃貸システムがあります。ワンルームやオフィステルなど種類を問わず適用され、「保証金」が発生します。

월세／ウォルセ

➡保証金＋月々の家賃

毎月決まった額の家賃を払うシステムで、契約時に保証金を払います。保証金の額が多いほど月々の家賃は少なくなるという特徴があり、大家さんによっては、保証金と月々の家賃の配分の交渉が可能な場合もあります。

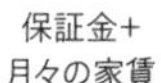

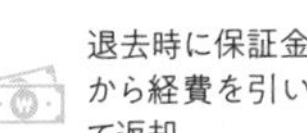

전세／ジョンセ

➡保証金払い のみ

賃貸契約時にまとまった保証金を払い、月々の家賃は不要なシステム。大家さんは契約期間に保証金を運用し、その利子によって運営します。ただ最近では銀行の金利が下がり、ジョンセよりウォルセ物件が増えています。

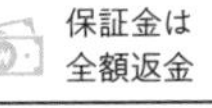

賃貸契約にかかる一般的な費用

金額はエリアによって異なり、保証金を上げれば家賃が安くなることも。

	費用の内容	コシウォン	ワンルーム	オフィステル
保証金	契約・入居時に支払う。契約期間中は大家さんに預けておくお金。契約満了日に、掃除費用や復旧費用などの費用を差し引いて返金される。家賃×12カ月が保証金になることが多い。	0～50万W	500万～1000万W	500万～1000万W
家賃	毎月大家さんに支払う賃貸費用。	45万W～	50万W～	65万W～
管理費	毎月大家さんあるいは管理会社に支払う共用スペースの管理費用。	家賃に含む	3万～6万W	7万～10万W
光熱費（→P.129）	ガス・電気・水道の使用料金。冷房がエアコン（電気）、暖房がオンドル（ガス）となるため夏と冬で費用に差が出る。	家賃に含む	各種別途支払い（4万～7万W）	各種別途支払い（4万～7万W）
その他	・退去時の掃除費用・オプション修理費 ・不動産への仲介手数料	・掃除費用（ワンルーム）：平均5万～10万W ・オプションの修理費：実費		

Q. ソウルではどんな家に住みました？

A. 4年半でコシウォン、ワンルーム、ビラを転々としました

まい 初めて韓国に来たのは2006年の語学留学のときで、留学エージェントに紹介されたコシウォン住まい。部屋にトイレとシャワーがあって、窓付きの物件で毎月の家賃が50万Wでした。

こりあゆ 高くない？ 江南という土地柄もあるでしょうけど…。

まい 確かにぼられたかも…。慣れないうちは経験者に相談するのが大切だね。2010年からはワンルームで、結婚をきっかけにビラ（低層アパート）に住みました。ビラは広くて屋上もあって気に入っていたけれど、大家さんの知り合い親子が住み出したら、屋上を改造して台所にしたりシャワーを浴びたり…。屋上へはうちの敷地を抜けていく構造だったので耐えられず引っ越しに。やはり大家さんのキャラは重要です。

リアルなところ、教えて！ おへや

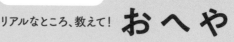

Q. 韓国の部屋で驚いたことって？

A. 日本にはない間取りと防寒設備に驚いた！

まい 韓国に移住した初期は「玄関を開けたらすぐリビング」とか、「リビングのすぐ隣にある扉を開けたらトイレだった」とか、日本にはない間取りにビックリ。

こりあゆ 確かに日本の家って画一的だし、廊下がある構造が多いから玄関やトイレも独立していることが多いかも。

まい 友人宅へ行って、扉を開くたびに驚きの連続（笑）。あと、韓国の部屋は100％オンドル（床暖房）があるから本当に暖かい。今は当たり前だけど、最初は感動していたな。しかも、ベランダは二重窓が付いているから冬でも暖かいし、結露とかもない。それと最近びっくりしたのは、アパートはベランダを広めにつくっていて、部屋を広げられるような可動式になっているのよ。ベランダはいらないという人は部屋のスペースを拡張できる仕組み。これは本当にいいシステムですね！

Q. 経験から住むのに適したエリアは?

A. 新村、弘大あたりは周辺にいろいろあって面白かった!

まい「値段も手頃で、かつ住むのに適した街」って、ソウルの場合ほぼ決まっているよね。私が通っていた語学学校のある新村、弘大あたりは学生向けの賃貸物件がたくさんあって、家の周辺には面白いスポットが多くて毎日新鮮。飽きないのがよかった。もし家賃が高くなければ、弘大近くの上水(サンス)洞周辺や、西江大学のある辺りは素敵なカフェもいっぱいあって、おすすめです。

こりあゆ 私のおすすめの駅は、ソウル大学入口付近ですね。価格的にも手頃な物件が集まっていて。ただ近くに語学堂がないから、通学するのはちょっと不便かもしれません。

まい 今は江原道の海の見える家に住んでいるんだけど、ソウルの賑やかさが疲れるときってあるよね。長期に住むなら少し歩いたら自然があるようなゆとりのある街がいいかもね!

探し事情!

答えてくれたのは…
まいさん

ソウル在住歴4年半、江原道は10年目。西江大学語学堂に通学。現在はカフェ経営、日本語講師などマルチに活躍。

Q. ずばり、いい家を探すコツは?

A. 予算、間取りなど、目的意識を持って探すこと!

まい「予算はいくら」「窓のある物件」とか、自分の優先順位や目的意識をしっかり持って探すことかな。韓国の場合、2・8月は引っ越しが多いし、よい物件は早いモノ勝ちだけど、物件は多いから諦めずに探せば目的に合う所が見つかるんだよね。でも、家探しって難しいよね。

私がコツを教えてほしいくらい。こりあゆが今住んでいる家(写真左下)、すごく素敵だよね!

こりあゆ 私の今住んでいる家、実は交通の便があまりよくないんです。住んでいる人が少なくて、朝の通勤ラッシュの時間でも5人ぐらいしかいない(笑)。でも人混みが苦手だから、逆にそこが気に入ってます。韓国人でも交通の利便性を重要視する人が多いけれど、ソウルの地下鉄は朝夕のラッシュ時が大変で。路線が少ない駅のほうがよい物件が残っていて、穴場かもしれません!

hash tag: #가스（ガス） #전기（電気） #수도（水道）

to do:
生活インフラ&行政の手続きを！

個人で支払いor大家さんが一括？公共料金の支払い方法を確認！

引っ越し後にもまだやることが残っています！　ひとつは、「光熱費などの生活インフラを整えること」、そして「行政への手続き」です。一般的にコシウォンや下宿では管理費に含まれている公共料金ですが、ワンルームやオフィステルでは自分で契約する場合があります。公共料金の支払いは、自宅に送られてくる「月額請求書（giro）」で、銀行振込やコンビニ支払いができます。また、韓国の銀行に口座がある場合は、銀行口座の自動引き落としやネットバンキングも可能です。長期滞在の人は、自動引き落としができるように手配しておくとよいでしょう。また、インターネット環境も必須ですが、まずは「物件にインターネット回線が通っているか」を確認しましょう。開通していればWi-Fiルーターを入手すればすぐ使えますが、開通してない場合は業者との契約が必要です。最後に行政への届け出も必要で、保証金の返金を保証してもらう制度「確定日時」と、「外国人登録証の住所登録」などがあります。

諸々の手続きは住民センターへ

電気料金は夏場に高騰！

冷房としてエアコンを使うため、夏場の費用が高く、月4万～5万Wほどかかります。管理費に含まれなければ、自宅にgiroが送られるので毎月支払います。
▷韓国電力公社 www.kepco.co.kr

ガス料金は冬に高騰する

床暖房（オンドル）を使用するため、冬場に料金が高くなり、月4万～5万Wかかります。管理費に含まれなければ、自宅にgiroが送られてきます。
▷韓国ガス公社 www.kogas.or.kr

水道料金は隔月払い

2カ月分が1枚の請求書で届きます。水道料金に関してはワンルームなどでも大家がまとめて払う場合も多く、契約時に確認を。
▷ソウル市上水道事業本部 arisu.seoul.go.kr

Wi-Fiはまず回線を確認！

物件にインターネット回線が開通していれば即使用可能ですが、回線がなければ自分で契約するか、大家（管理人）を通して契約が必要です。契約期間にもよりますが、月々3万～4万Wほど。

引っ越し後に必要な**3つの手続き**もお忘れなく!

1 “확정일자(ファクチョンイルジャ)(確定日時)”を申請

大金の保証金を振り込んで大丈夫なの? と思う方もいると思います。外国人だけでなく、韓国人でも保証金を返してもらえないまま逃げられたなんていう詐欺に遭った人も実は多いのです。そんな被害を防ぐためにも、「保証金を必ず返してもらうために保証される」制度である「確定日時」は必ず申請しましょう。また大家さんが破産した場合も市からの補助があります。家から近い住民センターで外国人登録証、不動産の契約書を持っていくだけ。契約書にハンコを押してもらい手続きは15分ほどで終了です!

2 “주택임대차계약(チュテイムデチャケヤッ)(住宅賃借契約)”の申告【義務】

どのような賃貸契約をしたか、住民センターに契約内容を申告する制度。2021年6月から義務化し、入居から30日以内に申請が必要です。申告は賃貸人と賃借人が共同でするのが原則ですが、簡易化のためにどちらか一方による申請でも可。契約時に確認しましょう。

3 外国人登録証の住所変更【義務】

引っ越したら14日以内に必ず、近くの住民センター、区役所、または出入国管理事務所にて「居住地の変更」の届け出をする必要があります(オンラインでも申請は可能ですが、外国人登録証の裏面の住所は直接修正してもらいに行かなくてはなりません)。友人はこれを忘れて、数十万ウォンの罰金を払ったので、必ず忘れずに申請しましょう!

登録方法Q&A

Q どこでする?
「住民センター」か「区役所」が予約不要で最も簡単。左記の申請を3つ同時に行うなら「住民センター」が便利です。出入国管理事務所でもできますが、ハイコリアでの予約が必要になります。

▷住民センター検索サイト
住まいの住所を入力し「더보기(トボキ)」をクリックすると管轄の住民センターが表示されます。
www.juso.go.kr

Q いつする?
引っ越しが終了したら、14日以内に地域の住民センターで申請するのが効率的。

Q 何を持っていく?
不動産契約書、身分証(外国人登録証かパスポート)。

出入国管理事務所でも登録ができますが、予約が混み合っており、1カ月待ちという場合も

こりあゆ memo

インターネット費用は“管理費込み”を狙って

インターネット使用料は管理費に含む物件もあれば、そうでない物件も。一般的にオフィステルのような分譲の場合は管理費に入っていないことが多く、プロバイダーやケーブルテレビ会社と各自で契約が必要です。外国人登録証が必要なうえ、契約期間も1年以上になるため少々手間です。できるだけ管理費に含まれる物件を探しましょう。

ネットスピードの速さもIT大国ならでは!

area | home | study | work | life

hash tag : #이사(引っ越し) #이사업체(引っ越し業者) #포장이사(おまかせパック)

to do :

韓国の引っ越しはここが違う!

業者を利用して効率的に引っ越しを。退去の事前通告はお忘れなく!

私はいろいろな所に住んでみたいタイプなので、よりよい場所を求めて転々としており、ソウル滞在の13年間でなんと10回の引っ越しをしています。 初期は友達の車を借りたり、自分で移動したりとさまざまな方法で引っ越しをしましたが、最近は「チムカ(ZIMCAR)」というアプリで韓国の引っ越し業者さんにお願いしています。退去時は「掃除費」を払う代わりに掃除はしなくてもよいのですが、ワンルームの平均掃除費(5万~10万W)程度にしか掃除されません。台所のシンクが汚い、壁が汚れている、カビが生えている、ヒビが入っているといった状態のまま引き継がれるのがザラです。つまり「新居は入居者が自分で掃除をする」必要があります。自分で掃除に出向くか、引っ越し当日に清掃業者を手配するかの検討も必要です。最後に、保証金を大家さんから返金してもらう必要があります。家主などに引っ越し後のチェックを受け、オプション家具の破損や設備の故障などがなければ、保証金が返金されます。

新居の掃除は入居者の仕事

こりあゆ memo

引っ越し時の最強アプリ「チムカ」と「スムゴ」

「チムカ」は引っ越し業者探しのアプリ。引っ越しの日付を選び、荷物の種類、梱包の有無などを入力していけば自動で金額が計算されます。口コミ評価も見ながら業者が選べるので安心です。また、日本のように退去後のハウスクリーニングはないため、自分で新居の掃除をする必要があります。汚れがひどい場合は専門業者が探せる「スムゴ」というアプリがおすすめです。

韓国では珍しい(?!)神対応に感動!

ZIMCAR
チムカ

引っ越し専用の掃除業社も登録!

숨고
スムゴ

引っ越しまでの流れを把握しておこう

1 退去予定の2カ月前

引っ越し先の家を決定・契約する

冷蔵庫や洗濯機、棚やカーテンなどの生活必需品を、引っ越し当日に新居に届くよう注文しておきます。

韓国インテリアにこだわるなら、人気ショップの通販を利用しよう（→P.64）

2

今住んでいる家の管理者（大家さん）に退去希望を伝える

契約書で、退去可能な時期、自動更新の日付なども確認をしておきましょう!

3 退去予定の1カ月前

次の入居者による内見が行われる

引っ越しが決まると、まだ住んでいるのに内見者が来ることも。住人の不在時に管理人と内見者が入ることもあります。

韓国の引っ越しはハシゴ車（サダリチャ）を使うことが多い（有料）。重い荷物もあっという間に搬入!

4

引っ越しの見積もりを取る。業者と日程を決める

引っ越しシーズンの3月、9月、および連休などは混み合います。早めに予約を。

5 引っ越し前

引っ越し先の家の掃除をする

引っ越し先の住人が早めに退去する場合は、事前に新居の掃除をするか、スムゴ(左ページ)などで掃除業者を手配します。引っ越し当日のクリーニングでもOK。

6

引っ越しの梱包・準備をする

韓国の引っ越しは梱包・荷解き・配置までやってくれる「ポジャンイサ포장이사(=おまかせパック)」が一般的ですが、この場合でも割れ物は別に梱包しておくと安心。梱包は自分で行い、運搬だけ依頼することも可能です。

7 引っ越し当日

ついに引っ越し！ 荷物はまとめておこう

とにかく手早いのが韓国の引っ越し業者。ワンルームなら1～2時間程度で終了します。

業者が作業中は、カフェで待機していてもOK！
24
이사

hash tag：#옥탑방（屋塔房／屋根部屋） #온돌（オンドル）

to do：
韓国ドラマにも登場する
韓国特有の部屋と設備とは？

韓国特有のおうちスタイル。契約前に冷静に環境をチェックしよう

韓国映画『パラサイト 半地下の家族』でも話題になった“半地下の家”や、超極小部屋“コシウォン（→P.046）”など、韓国には日本にないタイプの家や室内があります。
ソウルは北に北漢山（プッカンサン）、中央部にはNソウルタワーの立つ南山、そして周囲は緩やかな丘陵で囲まれているという地勢のため、かなりの傾斜地に立てられた家や、高台の家が多いのも特徴です。また、どこの家にも設置されている床暖房の“オンドル”は、とても快適なシステム。昔は台所で煮炊きをした熱を家の床下に通し、光熱費ゼロで部屋を暖めるという夢の循環システムでしたが（笑）、今はボイラーによるもので、冬はガス代が高騰することも…。それでも、ベランダに窓がついていたり、冬への備えはばっちりで、気にいっています。そして日本人が驚くことといえば、お風呂にバスタブがない…という事実。韓国人は自宅で湯船に浸かるという習慣がなく、ほとんどがシャワーで終わり。韓国サウナ「チムジルバン」へ週1～2回行く人も多いのですが、昨今の物価高もあり自宅で折りたたみバスタブでお風呂に入る人も増えているそうですよ。

南山沿いに建つ物件は景色がいいですが、すごい坂道！

こりあゆ memo

韓国の家の鍵は「パスワード方式」

韓国の家のドアは鍵ではなく、パスワードを打ち込んで開けるタイプ。韓国の場合、大家さんが家に入ってくることがあり、たびたび暗証番号を変えているのですが、うっかり暗証番号を忘れてしまうことも。連続して番号を間違えると、自動的にロックされてしまったり…。そうなると大家さんや管理会社の管理用の番号で開けてもらうことになります。注意しましょう。

鍵を落とす心配 vs 番号を忘れる心配、どっちがいいか悩む

ソウルのおうちの不思議に迫る

韓国ドラマで見かける不思議なアレコレ。
おうち探しにも参考になることが満載。さっそく、解説していきます!

床暖房"オンドル"の魅力! でも、つけっぱなしには注意…

ほのかに暖かいオンドルの心地よさは、韓国のおうちのメリットのひとつ。ほとんどの家にオンドルが完備されています。一度オンドルを切ると元の温度に戻すのに時間がかかるため、冬の間は基本的につけっぱなし。そのため、冬は夏に比べてガス代が高騰します。「外出モード」「省エネモード」などがあるので、こまめに切り替えて節約するようにしましょう!

2 縁台で夜景を見ながら乾杯! "屋根部屋"に住むリアルとは!?

韓国ドラマおなじみの"屋根部屋"こと、「オクタッパン(옥탑방)」。夜景を見ながら縁台のような場所でおしゃべりをして…と憧れる人も多いはず。しかし、実際の部屋は日差しなどの外部環境にさらされているので、冬は寒く、夏は蒸し風呂。そして景色がよいほど、坂を上がった高台にあり、タクシーも入れないような路地にある場合も…。

3 "半地下の部屋"は今後なくなる…

映画で話題になった半地下の家はフィクションではなく、実際にあります。しかし近年、集中豪雨の際に浸水して大きな被害が出たことから、ソウル市が廃止を決定。既存の半地下物件に関しては10～20年の間に、徐々になくしていくそうです。

家のお風呂に"湯船"はついてない(涙)

韓国ではバスタブがない家が一般的で、ほとんどがシャワー、トイレ、洗面台のユニットバス形式。仕切りがない場合は、シャワーに入るたびにトイレまでびしょびしょに…。気になる人はシャワーカーテンをつける、仕切りのある部屋を探すなどの工夫を。なお、自宅でお風呂に入りたい人向けに、折りたたみ用の簡易浴槽も市販されていますよ。

"ガラス張り"のベランダは、もはや部屋の一部!

韓国のマンションのベランダには窓が付いていて、サンルームのような仕様になっています。窓も二重サッシになっており、外気にもさらされないので断熱性もバッチリ。雨でも洗濯物が干せ、窓を開ければ風通しも確保できるため、非常に便利です!

6 山や高台の近くは"坂の街"であることが多い

南山のふもとの梨泰院~緑莎坪、冠岳山近くのソウル大入口駅など、とにかくソウルは山がちな街が多い。坂の街は比較的、家賃も安く、つい惹かれるところだが、駅から自宅までの通勤・通学路は要チェック。毎日となったときに登り坂に我慢できるか…契約前に冷静に考えよう!

hash tag : #트러블（トラブル） #소음（騒音） #누수（水漏れ）

8

to do :

こんな事ある!?

おうち探しのトラブル

日本と韓国の文化の違いもあり、賃貸物件ではトラブルが起こりがちです。入居中のトラブルで多いものは「備え付けの設備の不調・故障」や「水漏れ」、「騒音など隣人トラブル」ですが、これらはもともとの所有者である大家さんに対処を依頼しましょう。隣人トラブルは、自分から注意しに行くとさらなるトラブルを生むこともありますので、クレームは大家さんから入れてもらいます。なお、引越しの段階で、大家さんや管理会社の連絡先は、携帯電話に保存しておくのをおすすめします。また、トラブルがあっても、大家さんや管理会社に状況をうまく伝えられないと、適切に対処してもらうのは難しいものです。特に韓国語に自信がなければ、写真や動画、音声を記録し、提示できる証拠を備えておきましょう。

設備の不調は大家さんへ！契約書の熟読も大切なんです！

韓国の場合、大家さんは居住の快適性を左右する重要なキーマンです。特に下宿やコシウォン、シェアハウスは同じ敷地内に住んでいることも多く、騒音や掃除、帰宅時間など生活の状況についてかなり細かく言う人も。実際に暮らしてみないとわからないことも多いですが、内見や契約のときに問題がないか、チェックしておくようにしましょう。

水回りはトラブル多し！

こりあゆ memo

賃貸契約書をしっかり把握しておく

物件の賃貸契約書には、物件でのルールやトラブルへの対処方法、責任の所在などあらゆることが書かれています。契約書の内容をよく理解しておくことで、多くのトラブルはスムーズに対処できます。反対に、内容を把握していなければ、自分自身がやってはいけないことをする可能性が。自分がトラブルの原因にならないように、賃貸契約書はしっかり把握しましょう。

韓国あるある!? こりあゆのおうち探し事件簿

留守の間に誰かが侵入! それは大家さんだった…

一時帰国の際、水道管が凍って破裂しないように少しだけ出していた水がなぜか止まっている…。「留守中に誰かが部屋に入った!?」。日頃誰かが侵入している気配もあり、半信半疑で聞いてみると、犯人は大家さんでした。いくらパスワードを変えても、韓国のワンルームにはマスターキーといって大家さんだけが持っているパスワードがあることが。その場合、簡単に部屋に入れてしまうのです。

こうして解決!

「用事がある場合は事前に連絡をしてから入ってほしい」と大家さんに言っておきましょう。あまりに聞き入れてもらえない場合は引っ越しの検討を。

神対応の不動産屋! しかし、仲介手数料をぼられそうに…

個室で案内をしてくれ、希望を聞いてから物件を割り出し、パソコンで部屋の写真と動画を見せながら詳しく説明をしてくれた不動産屋。韓国でこれはかなりの神対応なんです。信頼度も高く、手続きもお任せしていたのですが、「仲介手数料は50万W」という前代未聞の金額に驚愕! 調べたところ仲介手数料を2倍以上ぼったくろうとしていたことが判明しました。

こうして解決!

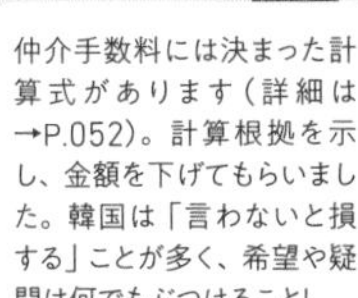

仲介手数料には決まった計算式があります(詳細は→P.052)。計算根拠を示し、金額を下げてもらいました。韓国は「言わないと損する」ことが多く、希望や疑問は何でもぶつけること!

ついに引っ越しで新居へ。壁紙のシミってどういうこと?!

内見時は居住者がおり、部屋の状況を完全に把握できないまま引っ越しに。入居してみると鏡は錆びつき、壁紙がはがれて変色しているままで…。退去者は掃除をせず、掃除代を払うだけなので、新しい入居者のためにどこまで清掃するかは大家さん次第。あるときは退去者の残した布団が掃除もされず置きっぱなしだったこともありました…。

こうして解決!

韓国は新居が汚い可能性があるので覚悟が必要です。エアコンや洗濯機など、汚れがひどい場合は清掃業者を探して依頼することも。

こりあゆ's 오키니 オキニ   インテリア 編

新しいおうちに引っ越したら、かわいい韓国雑貨でコーディネートしたいですよね。
私はいつもオンラインの雑貨店を見て、インテリアのイメージを膨らませています。
なかでも私の大好きな3ショップをご紹介します!

長年使えるスタイリッシュな卓上カレンダー1万2900W。全5色あり!

オキニ 1

O House

오늘의집
オヌルウィチブ

インテリア好きのための インテリア好きによるアプリ

ベッドルームはグリーンにまとめています

韓国在住なら知らない人はいない、インテリア系アプリ。トレンド感のある家具や小物、植物などこのアプリ内で手に入るので、ダウンロードしておけば間違いなし! インテリア好きのコミュニティには、参考になるアイデアがいっぱいです。

ohou.se/

ちょっと大人な雰囲気に

植物柄が大人っぽいマット。テーブルマットにもデスクマットにも活躍中

マッシュルーム形の照明はデザイン性が秀逸。下に明かりが広がる間接照明なのでベッドルームに◎

オキニ 2

PaperGarden

ペーパーガーデン

ナチュラル×おしゃれな韓国インテリアがそろう

ナチュラルな色使いがおしゃれなラグなど、"韓国っぽインテリア"なアイテムがそろうペーパーガーデン。室内用のグリーンやキッチン用品など、種類が豊富ですが、特にカーペットや小物類が人気です。釜山が拠点のため、ソウルからはネットで購入できます。

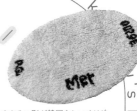

ハーブの繊細なイラストがシャビーな雰囲気のコースター

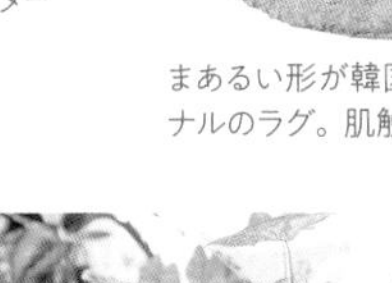

まあるい形が韓国らしいオリジナルのラグ。肌触りもグッド!

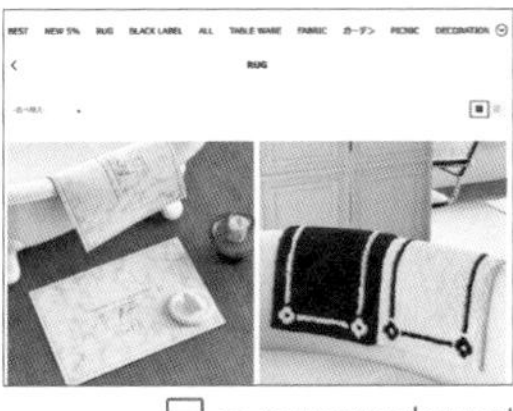

m.papergarden.net

最近活躍中のマット!

食卓を飾ってくれるテーブルマットは友人にも好評!

センスのいい観葉植物もそろう。釜山店にもグリーンがたくさん!

オキニ 3

Jinsim Design

ジンシムデザイン

季節のアイテムが充実 上品なインテリア作りに

シャビーで上品な小物がそろうインテリア雑貨のサイト。クリスマスなど、シーズナルな小物も常にアップされていて、季節ごとに1つはゲットしたい! 部屋のポイントになるような置き物系アイテムは、このサイトを見ておけばOKです!

①

②

③

お花はクリスマス仕様に Change!

①雰囲気が様変わりするクリスマスリース2万1000W ②花びら形プレートはゴブレット付き9900W。日々の食事に活躍中 ③お気に入りのコーナーにはフラワーをセット

m.jinsimdesign.com

CHAPTER

3

STUDY

ソウルの学校で学びたい

ソウレ　イニョン　ハッキョエソ　ペウダ
서울에 있는 학교에서 배우다

ソウルの学生に交じって学んだ学生生活は、今の私をつくってくれた宝物のような経験でした。

ソウル移住の目的が「語学習得」や「学び」である方もいると思います。私の場合も、高校を卒業して目指したのが現地の大学入学。まずは語学堂に入学し、韓国語を学ぶことに専念しました。
スピーキングに強い学校、ライティングに力を入れている学校など、語学堂によっても特性が違うので自分が伸ばしたい分野に強い学校を選びました。
大学に入学してからは、現地の学生と勉強し相対評価で成績が決まるので、ここからは韓国語ができて当たり前の世界。韓国語だけではなく、インソウル（→P.079）の大学に入学した現地の学生は基本的に英語をみっちり勉強してきているため「英語がある程度できるのも当たり前」。衝撃だったのは教養の基礎英語の授業。英語の基礎から受けるのだろうと思って聞いた初日、授業はフル英語で進行、英語の本を読み込んでいくという授業スタイル。ついていけず授業を先延ばしにした記憶があります（苦笑）。
想像もしていなかった英語の壁、現地の学生とのチームプロジェクト、学期に何度も行うプレゼン、レポート提出、そして勉強以外でも外国人として現地の学生のコミュニティに入っていく難しさ。
大学4年間でいろいろな経験をしましたが、これらをこなしながら4年生になる頃には、現地の学生と授業を受けても「A+」を取れるほどに成長し、かけがえのない友人もできました。

韓国語に英語に学生生活に。とにかく没頭した学生時代。
韓国で学生生活をされる方にもぜひ、素敵な経験をしてほしいです！

ソウルの学校で学びたい KEYWORD 서울에 있는 학교에서 배우다（ソウレ イニョン ハッキョエソ ペウダ）

カルチャーショック多数！憧れの学校生活はいかに

韓国では韓国語を学ぶために語学学校や語学堂、専門知識を学ぶために「正規大学留学」、さらにカナダ留学と、約6年間の学生生活を経験してきました。特に大学生活は驚きの連続。韓国人学生との対等な成績競争はかなりハードですが、とても充実していました。相対評価や英語の勉強、生徒主導の就活など、「日本とは逆!?」なことばかりですが、実力は間違いなく付きます!

英語で行う授業も!? 韓国の大学生、**英語がペラペラ**の件

⊳⊳ P.084

「2023英語能力指数」の世界ランキングで、日本の87位に対し韓国は49位。かなりのレベル差があります。英語のレベルUPもお忘れなく…。

韓国は偏差値制度がない。狙うはインソウル

⊳⊳ P.079

偏差値基準がなく、共通テスト「スヌン」の上位者から大学を選ぶ制度。就職の有利さを見越して「インソウル＝in seoul」の大学を狙います！

語学堂と附属大学のレベルは関係なし。そもそも、**大学とは別の教育機関**なんです

⊳⊳ P.074

「大学の難易度＝語学堂のレベル」ではありません。延世大学語学堂だと延世大学の入学が有利になることもなし！ 語学堂は名前でなく講義内容で選びましょう。

目指すはA+！
インソウルの大学生の
学びの真剣度が
半端ない P.087

就職の厳しさはよく知られていますが、企業の採用基準は「学校の成績」とビジネスに応用できる「スキル」。大学生は将来のため、必死に学ぶのです。

学生スペック、インフレ中！
留学や自主勉強会はアタリ前なんです
P.088

スキルUP目的の語学留学や自主勉強会（スタディ）はもはや日常。そのための休学も一般化しています!

社会に出るタイミングは
自分で決める。だから
就活一斉スタートはなし!

韓国で、少なくともこのときまでには最初の就職を終えていたい…と考える年齢を意味する「就職マジノ線」は、女性が31.6歳、男性が33.5歳とかなり遅め!

チュンオプ マジノ ソン
취업"마지노선"
～就職の"マジノ線"は?～

入学後が大変！
評価は平等に。
留学生の成績ももちろん
相対評価
P.087

日本の絶対評価に対し、韓国は相対評価。留学生といえどもおまけはなく、韓国人学生と対等に、成績を競い合います。

大学の募集要項だと、「TOPIK3～4級から」という場合が多いですが、実際の授業は6級でも厳しいです!

大学の授業に付いていくために
必要な韓国語レベルは、 P.080
ずばり**TOPIK6級**！

hash tag : #어학원（語学院） #유학（留学）

check :
学校に入学するまでのロードマップ

目指す韓国語レベルと目的によって、自分の留学スタイルを考えよう！

高校などで韓国語を習得していて、卒業直後に韓国の大学への入学というケースもありますが、ほとんどの人は韓国語を学ぶために、「語学学校」か「語学堂」に入ると思います（基本は韓国語による授業です）。語学堂は韓国語の学びに加え、レポートや卒論といった大学の予行練習的な授業もあり、大学への入学を考えている人に向いています。ただし、「授業+自習」で手いっぱいになってしまうことも多く、「一般的な会話ができればよく、韓国での生活体験を重視したい」という人は、語学学校のほうがよいかも…。語学堂に比べ授業数が少ないため、自分の興味に時間を費やすことができます。K-POPのダンスレッスンを受けたり、美容学校に通ったりといった「スキル留学」も組み合わせるなら、語学学校との相性がよいですね。なお、語学学校も語学堂も1学期分（90日以内）の短期留学ならノービザでもOKです。ただし、2学期以上（91日以上）の長期留学なら、学校によって、「D-4（一般研修）ビザ」、あるいは就労もできる「H-1（ワーキングホリデー）ビザ」の取得が必要です。さらに大学、大学院などへの正規留学には「D-2（留学）ビザ」を取得します。

ソウルには有名なダンススタジオも多い

（写真提供：だれでも留学）

こりあゆ memo

ソウルの語学学校

K-POPブームも手伝って、世界各国から語学留学する人が殺到しています。市内には私立の語学学校がありますが、外国人向けの規模の大きな所は限られています。上級クラスになるとマンツーマンになったり、韓国ドラマを見ながら表現を学んだりといった、民間ならではの授業が楽しめます。

ソウルの有名校はこちら

●**Easy Korean Academy**
江南・狎鴎亭にある外国人対象の韓国語学院。1週間コースからある。
www.edukorean.com/

●**カナタ韓国語学院**
独自の教材に定評がある学校。毎月開校で1カ月単位から通える。
jp.e-ganada.com

プランニングから留学までのフローをまとめ！

1 なるべく早く検討を…

留学プランニングを立てる

まず考えたいのは「留学の目的」。韓国語の上級レベルを目指すのか、一般的な会話ができれば十分なのか、あるいは語学よりも生活体験を重視するのかなどを検討します。その後、目的に合わせて、期間や予算などを検討していきましょう。「H-1ビザ」の年齢制限が25歳に引き下げになっていることもあり、プランニングは早めがベターです。

検討したい内容

●短期か長期か?
●目指したい韓国語レベルは?
●留学予定期間は?
●留学目的は?
●勉強と韓国での生活の割合は?
●大まかな総予算
（学費、生活費など）は?

2 出願の3カ月前

学校を決める

語学学校と語学堂の違い（下表）や、インターネットでの評判などを見ながら、リサーチしていきます。詳細がわからない場合は、留学エージェントに相談するのも手。学校ごとの特徴など詳しく教えてもらえます。学校が決まったら出願書類の準備を始めます。

少人数制で話しやすい！
Easy Korean Academyの授業
（写真提供：だれでも留学）

	語学学校	語学堂
こんな人に	●短期留学がしたい ●目指す韓国語レベルは中級（一般会話ができる） ●韓国での生活体験も重視	●長期留学を想定（6カ月以上） ●目指す韓国語レベルは上級（ビジネス会話ができる） ●大学や大学院への入学を目指す
1学期の単位	4週間	10週間
授業時間	1日3時間（週4日）	1日4時間（週5日）
入学時期	毎月開校が多い	3・6・9・12月（4回）
進級条件	出席率、成績に関係なく進級が可能。成績によっては補習もあり	出席率80%以上、成績平均70%以上が必要
クラスの人数	5～10名	10～15名
ビザ	・ノービザ（90日以内） ・H-1ビザ（91日以上）	・ノービザ（1学期のみ） ・D-4ビザ（91日以上）

3 開校3カ月前までには出願

インターネットから申し込み

語学堂も語学学校もオンラインで申し込みしたのち、必要な書類を提出します。学校や語学堂ごとに締め切りが異なりますが、たとえば語学堂の春入学（3月）の場合、12月初旬に願書締め切りというパターンが多い。開校の3カ月前くらいが出願と考えておきましょう！

語学堂の申請 ▷▷P.074

4 開校1カ月前

おうち探し、ビザ申請など

ビザ申請から発給まで5日間程度といわれていますが、余裕をもって申請を。またソウル初日から住む家を借りるなら、入居2カ月前あたりからおうち探しを始めましょう。

おうち探し ▷▷P.044

hash tag : #단기(ダンギ) 유학(ユハク)（短期留学）

check : まずは短期留学でお試しソウル

長期留学を迷うなら、まずは短期で。語学のほか、スキル習得の留学もアリ！

高校2年生の夏休みを利用して、1カ月間の短期留学をしました。韓国の何もかもが初めてだったので、インターネットで日本語でも情報が載っていた日韓語学塾「トトロハウス（現：トトロハウス韓国語学院）」に通いました。日本人専用の塾で、まだまだ独学歴が1年にも満たなかった私は初級クラスから参加。塾のなかの小さなカフェでの注文は「必ず韓国語で」と決まっていたので、注文の練習を塾でやっていました。この頃はインターネットで得られる情報が限られていたので、学校が契約しているコシウォン（→P.046）に現金で家賃を支払いすぐに住めたこと、そして学校付近の銀行では外国人がよく利用するうえ、今よりはシステムが緩かったこともあり、パスポートだけで銀行口座を作れた※のはラッキーでした。初めて学んだ言語をアウトプットできる環境に置かれたことがとても楽しく、たった1カ月でしたが1年いたような気分になるほど濃い毎日でしたね。最近はダンスや美容などのスキル習得と、語学学習も兼ねた留学も増えているようです。語学学校の場合、午後は時間に余裕があるので、+αで好きなことに挑戦してみるのもいいかもしれません。

※今は外国人登録証も必要です

語学堂にも短期留学があります

こりあゆ memo

韓流ビザはいつから？

2024年から、K-POPやダンス、音楽などの韓流コンテンツ留学が対象となる「韓国文化（Kカルチャー）研修ビザ（仮称）」、いわゆる"韓流ビザ"の発給が開始される予定です！ 多くの外国人を国内に呼び込むため、若手のアーティストや作家たちに発給され、最長2年間の滞在が許可されるとか。ダンス留学などがさらに人気になりそうです！

韓流ビザのほか、2024年からデジタルノマドビザ（→P.162）も登場！

短期留学の種類をチェック！

留学エージェント紹介は ▷▷P.169

オハクダン 어학당 語学堂（短期）

教育レベルは高し！
大学施設に併設され、
施設を共有できる

授業料 ☆☆☆
学業レベル ☆☆☆

費用 **25万～45万円**（宿泊込み） 期間 **2～4週間**

韓国の国公立、私立大学が運営する韓国語の学校。ほとんどは大学のキャンパス内にあり、大学の施設を利用できます。春休みや夏休み、ゴールデンウィークなど長期休みに合わせて3～4週間程度の短期留学がある。募集人数は少ないので早めにチェックしておこう。

한국어학당 졸업식
費用はかかるが
レベル高し！

オハクハッキョ 어학학교 語学学校

超短期から長期まで
自由に通える
語学のための学校

授業料 ☆☆☆
学業レベル ☆☆☆

費用 **22万～30万円**（宿泊込み） 期間 **1～4週間**

民間が運営する韓国語の語学学校。ビル内の数フロアを使用していることが多い。入学時期が選べ、期間も最短1週間からと短期留学しやすい。週4日、1回3時間程度と、授業も少なく学業以外の時間を取りやすい。D-4ビザは発給できないので注意。

人気の高い
イージーコリアン
アカデミー
写真提供：だれでも留学

テンス ユハク 댄스 유학 ダンス留学

語学だけでなく
有名スタジオで
ダンスも学べる！

授業料 ☆☆☆
学業レベル ☆☆☆

費用 **15万～33万円**（宿泊込み） 期間 **1～3カ月**

ダンスレッスン1～2時間と、語学学校や語学堂での語学勉強を両立させる留学。K-POPアイドルの振付師が教える「ワンミリオンダンススタジオ」や、YGエンターテインメント経営の「YGX」など、世界的にも有名なスタジオでレッスンを受ける機会があります。

憧れのスタジオで
ダンスできる！
写真提供：だれでも留学

ミヨン ユハク 미용 유학 美容留学

憧れの韓国美容！
メイクテクニックを
勉強したいなら

授業料 ☆☆☆
学業レベル ☆☆☆

費用 **5万円～**（美容レッスンのみ） 期間 **3～4日**

韓国独特のメイクスキルを学びたいなど、近年増えてきている美容関連の留学。3～4日の超短期レッスンもあり。語学学校に通いながら美容学校に通い、国家資格をとる留学プランもあります（半年～1年間）。

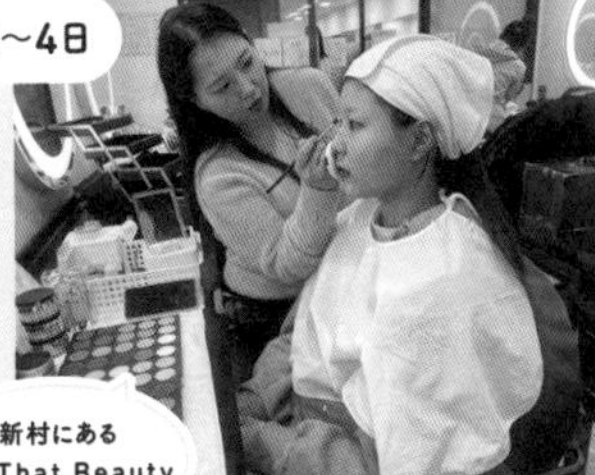
新村にある
All That Beauty
写真提供：だれでも留学

hash tag：#어학당（語学堂）オハクダン

check：本格的に韓国語を学ぶ!

語学堂に入学するの巻

韓国語の習得に力を入れたいという人は、語学堂や語学学校への留学が一般的。なかでも、「韓国語をマスターしたい」「韓国の大学に入りたい」「就職したい」など、高い語学力が必要なら、語学堂がおすすめです。大きな理由としては韓国の大学キャンパスやサービスが利用できる点。大学の食堂や図書室、寄宿舎が留学生でも使用可能なほか、韓国人大学生との交流ができる「トウミ制度」を備えている語学堂が多く、生きた韓国語が学びやすい環境といえるでしょう。

また、2学期以上通う場合は「D-4（一般研修ビザ）」が必要になります。語学堂は発給可能ですが、語学学校は上記ビザを発給できず、観光ビザやワーキングホリデービザ（H-1）を利用して留学するようになります。

語学堂には韓国語が全く話せない、書けない、読めない状態でも入学することはできます。ただし勉強のスピードは速く、まったくチンプンカンプン状態だと予習・復習でかなり大変かと思います。また初級クラスだと学習意欲が低い人たちもおり、中級クラス以上の入学を目指し、事前にある程度韓国語を学んでおくといいでしょう。

しっかりと韓国語を学びたいなら中級クラスへの入学を目指して!

大学を目指すなら語学堂へ!

こりあゆ memo

語学堂に入るための申請書類をそろえる

語学堂申請の書類（右記）をそろえるには1カ月間ほど。特にアポスティーユは取得に2～3週間もかかります。書類に不備がなければ数日で入学許可がおります。以降、ビザ申請から公的手続き（海外転居留、確定申告書の準備など）、留学準備とバタバタが続きます。社会人の場合、準備の段階で休みの取得が必要になりますので長期的なスケジュールを立てておきましょう。

- パスポートのコピー 1枚
- 最終学歴卒業証明書（要アポスティーユ／外務省による証明）
- 1万ドル≒100万円以上ある口座の残高証明書（学校により金額は多少異なる）
- 語学堂申請書（ホームページより）

語学堂の基礎知識

語学堂のリストは ▷▷P.166

▷入学＆進級条件

正規の入学時期は年4回（3、6、9、12月）が基本。夏休みなど長期休みに2～4週間の短期プログラムを開催する学校も。入学時には書類の提出（左ページ）のほか、レベルテストがあります。進級条件は語学堂によっても異なりますが成績平均70％以上、および出席率80％以上などが求められ、出席状況によっては卒業やビザの延長が許可されないケースもあります。

ソウルの名門大学、慶熙大学にも語学堂は併設されている

梨花女子大の語学堂ならば、大学の施設を使うことも可能

▷勉強時間と期間は？

1日の授業は約4時間、週5日が基本です。各級を1学期で学び、10週（約3カ月間）で合計約200時間となります。正規課程は各学期単位で申し込むことができます。入学時に1学期のみ申請したり、2学期分を申し込んだのち「進級手続き」と「ビザ延長」を行ったりもできます。

延世大学の語学堂。1500名前後の学生が在籍し、韓国屈指の規模を誇る

▷語学堂のレベルは1～6級

正規過程は1～6級で編成されることが一般的。4技能（書く・読む・聞く・話す）を総合的に学びます。学期の中間、期末に4種類の試験があり、学期末の成績に反映されます。各1～6級のレベルは右記が目安です。

1級ならば、挨拶やハングルの書き方からスタート

	級	級のレベル
初級	1級	・ハングルが読めて書ける。 ・生活に必要な基礎的な表現を理解し使える。
	2級	・日常生活に必要な表現を理解し使える。 ・公共施設で必要な表現を理解し使える。
中級	3級	・公共施設を利用するために必要な表現を使える。 ・社会関係を維持するために必要な表現を使える。
	4級	・一般的な社会的、抽象的テーマに関する内容を正確に理解し、自分の考えを表現できる。
上級	5級	・経済、社会、文化などなじみのない話題についてもある程度理解し、自分の考えを表現できる。
	6級	・専門分野での研究や業務に必要な表現を正確に理解し、表現できる。

hash tag：#연세대학교 한국어학당（延世大学校韓国語学堂）

ヨン セ テ ハッキョ　ハングゴハクタン

check：私の通った語学堂ルポ

～延世大学校 韓国語学堂編～

語学堂によって特徴が異なりますが、私の場合は大学入学を目的としていたため、ライティングに力を入れていると言われている延世大学校 韓国語学堂に決めました。入学時のレベルテストでは、全6級過程のうち、独学で勉強した成果もあってか5級に合格したものの、独学での勉強で基礎がなっていない部分が多いことを自覚していたので、4級に下げてもらってからのスタートとなりました。日本語をできるだけ使わないよう授業以外の時間でも中国人メンバーと過ごしていました。日本人と中国人それぞれに難しい発音があり、相互に教え合いながらネイティブの輪に入って送る大学生活の事前練習ができたと思います。延世語学堂は、宿題でレポートの提出や、他の語学堂にはない卒業論文もあります。パソコンで文書を作成して提出をするスタイルだったので、大学生活で欠かせないハングルのタイピングの練習もすることができたのもよかったです。語学堂の授業は基本朝9時～13時までの約4時間。この4時間だけでは上達は望めないので、放課後にどれだけアウトプットするかが大事だと思います。

語学堂での授業以外にも自主的な勉強とアウトプットが必須！

語学堂の卒業式です

こりあゆ memo

語学堂の国籍

語学堂は世界中から学生がやってきます。たとえば私が5級のときのクラスのメンバーの国籍比率は、在日韓国3人、中国3人、日本2人、マレーシア1人、モンゴル1人、ベトナム1人、ミャンマー1人、アメリカ1人でした。中～上級クラスになると覚えた韓国語を使うのが楽しくなってくる時期。国際交流+韓国語の勉強で充実した語学堂時代でした！

通学時の入口。多くの外国人が通っていました

延世大学校 韓国語学堂の学生だったこりあゆの1日ルポ!

延世大学の施設が使えるのがメリット!

私が通った延世語学堂はレポートが多く、卒業論文の作成や発表の機会も与えてもらい、とにかく授業が充実。学校選びは「学びの質」が一番大切だと思っています。

午後は自主学習もしていましたよ!

13時以降は自由時間! しっかり遊んで学ぶ

23 自宅でリラックス
21 帰宅。ブログを書いたり復習
19 友達と夜ご飯
18 観光やカフェで勉強、宿題
14 語学堂の友達とお昼
13 語学堂授業開始
9 起床
8 睡眠

語学堂の友達とカフェで一緒に勉強、宿題

韓国語の吸収が早いのは日本人や中国人。上級になるほどアジア系が増え、私も中国人のグループとよく遊びました

語学堂は、延世大学の敷地内にあります

午前中の4時間でみっちり勉強!

プレゼン発表もあり!

語学堂ではプレゼン発表もありました。テーマを1つ決めて調査を行い、クラス全員の前で行います。その際はクラスのみんなで準備することも。

レポート作成は100%パソコンで!

2012年当時からレポート作成はすべてワードで、手書きは例外ながら認められる程度でした。慣れていない人は日本にいるうちに、ハングルでのタイピングに慣れておきましょう。

▽ 授業内容の一例

科目＼級数	1～4級	5～6級
1限目	文法	聴解・会話／読解・作文
2限目	文法	聴解・会話／読解・作文
3限目	聴解・会話	聴解・会話／読解・作文
4限目	読解・作文	文法
午後	自由時間／文化授業	

4時間で4科目を学ぶ

復習テストから始まり、グループでのスピーキング（말하기）やリーディング（읽기）、リスニング（듣기）を中心に勉強。課題としてライティング（쓰기）が出されることもあります。

hash tag：#대학（大学） #입학（入学） #수능（修能）

check：語学留学とは180度違う。

韓国の大学に正規留学するの巻

2013年、私は語学堂を卒業後、慶熙大学校に合格し、大学生になりました。「あの有名なスヌンを受けたんだね!」と言われることもあるのですが、韓国人が受ける選考と日本人が受ける選考は違います。韓国人は、日本の共通テストに相当する「大学修学能力試験（修能／スヌン）」を受ける必要がありますが、日本人は「外国人特別選考」と呼ばれる選考を受けて、大学に進学できます。多くの大学では、書類選考と面接のみを実施しており、①日本の高等学校を卒業、②両親が外国人（韓国籍でない）、③TOPIK3級以上や韓国の大学付属の語学堂4級以上修了が条件となっている場合が多いと思います。しかし! 外国人が大学に入るのは韓国人に比べると簡単なのですが、「入ってからが大変!」だと覚悟したほうがいいでしょう。韓国人の学生と同じ授業を同じレベルで受けるのでついていくのに必死です。入学ができても卒業ができない学生もいるくらいなので…。
私も挫折の連続でしたが最終的には韓国人のなかでも「A+」が取れるまでに。諦めずに続けることが大切です!

外国人の場合、学力テストはありません。語学力と丁寧な書類作成が大切!

我が母校、慶熙大学です!

こりあゆ memo

韓国の一大イベント「スヌン」

毎年11月中旬に行われる「修能（スヌン）」は本当に一大イベントです。学生たちは高校3年間をこの1日にかけるといっても過言ではありません。スヌンに遅れそうな学生をパトカーやバイクに乗せて試験会場まで送るために、約1万5000人の警察官が待機をしていた年も。当日は禁忌フードや禁止ワードがあり、日本同様、「すべる」「落ちる」などの言葉は使わないようにするんですよ。

つるりとすべる感じが連想される「ワカメスープ」はスヌンの禁忌フード

韓国の大学のキホンを知っておくべし

▷ 韓国の大学の特徴

韓国には4年制大学は総合大学、専門大学を合わせて170校以上あります。スヌンの上位者から大学を選べ、なかでもSKY(ソウル大学校・高麗大学校・延世大学校)はスヌンの成績上位1%が行く大学。特に文系学生で大手企業への就職を狙う学生は、この3つの大学に入れるかどうかにかかっているといわれています。そのような背景もあって韓国の受験は熾烈。そして、大学入学後は「A+」を狙って、しのぎを削ります。

▷ 大学レベル感とインソウル

日本の早慶上理、GMARCHのように、韓国にも大学レベルのグループがあります。総合大学のうち、最難関レベルの「SKY」をはじめ、その次に位置する人気校が「西成漢／서성한(ソソンハン)」、「中慶外市／중경외시(チュンギョンウェシ)」と続きます。韓国国内では伝統校の人気が高く、これら上位10大学はどこでも優秀な学生が集まると言えるでしょう。もうひとつ、大学のグループとなるのが「インソウル=in Seoul(ソウルにある大学のこと)」。韓国ではソウルに大企業が集中しており、インソウルの大学は就職でも有利に働くことが多く、受験生たちの大半はインソウルの大学を目指します。

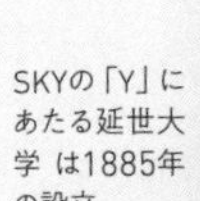

SKYの「Y」にあたる延世大学は1885年の設立

延世大学と並び、2大私立大学と称される高麗大学

		韓国	日本
ソウル上位10大学(文系)	SKY(スカイ)	・ソウル国立大学校(S)	・東京大学　・京都大学　など
		・高麗大学校(K)	【早慶上理】早稲田大学、慶應義塾大学、上智大学、東京理科大学など 【旧帝国大学】東北大学、大阪大学など
		・延世大学校(Y)	
	西成漢 서성한 (ソソンハン)	・西江大学校	【GMARCH】学習院大学、明治大学、青山学院大学、立教大学、中央大学、法政大学など
		・成均館大学校	
		・漢陽大学校	
	中慶外市 중경외시 (チュンギョンウェシ)	・中央大学校	
		・慶熙大学校	
		・韓国外国語大学校	
		・ソウル市立大学校	

ほか、建東弘／건동홍(コンドンホン):建国大、東国大、弘益大に、女子大2校(梨花女子大学、淑明女子大学)を合わせて、上位15大学とも言います

Sに該当する最高学府、通称「ソウル大」

大学の入学試験について

▷ 入学時期は?

韓国の大学は春学期と秋学期の2学期制で、第1学期が3～6月、第2学期が9～12月です。外国人の入学願書は学校によって提出時期がまちまちです。早めに情報入手しましょう。

▷ 入学の条件は?

留学生は「外国人特別選考」と呼ばれる選考を受けて、大学に進学します。倍率も募集人数も発表がないので正確な競争率は不明ですが、近年、中国人など外国人も増えており、狭き門であることは間違いありません。自己PRできる受賞歴やTOEFL・TOEICなどの語学能力を証明できる資格を取っておくとよいです。書類がパスすれば面接試験となります(ない学校もあります)。だいたいどこの大学でも質問事項は、志望動機や自己紹介、提出書類についてなどで、特に難しい内容ではありません。

大学入学に必要な書類

- 願書
- 自己紹介書（志望理由書）
- 推薦書（不要な学校もあり）
- 韓国語能力証明書
- 高校卒業証明書（要アポスティーユ）
- 高校成績証明書（要アポスティーユ）
- 戸籍謄本（要公証）
- パスポート写本

今でも韓国語は勉強中。わからない言葉はすぐ調べる

TOEICのスコアも入学合否に関わる

▷ 必要な韓国語能力はどれくらい?

外国人特別選考に申請するためには、最低でもTOPIK4級レベルが必要です。しかし、クリアしていればOKというわけでなく、レベルが高いほどよいでしょう。実際に6級程度を取得していないと大学の授業には全然ついていけませんし、チーム課題での役割分担においても足を引っ張るようなケースがでてきます。また、韓国語のほか、英語の能力も重要です。「英語のテキストを用いて韓国語で講義する」といった授業もよくありますので、韓国語、英語ともに勉強が必要です。

こりあゆ memo

TOPIK（韓国語能力試験）は早めに

韓国の大学入試で必要になるのが、「TOPIK（韓国語能力試験）」の成績表です。この試験は日本で年に3回のみの開催（通常4月・7月・10月）になりますが、結果発表がそれぞれ試験の1カ月後になります。願書提出の前に結果がわかるように逆算して受験を予定するとよいでしょう。

TOPIKの級数によって奨学金も!

大学入学なら
TOPIK6級を
目指したい!

大学入試までの流れを把握しておこう

1 願書提出前

TOPIK(韓国語能力試験)を受ける

TOPIKテストの受付は試験の3カ月前になります。回数が少ないので忘れないうちに申し込みを。

2 願書提出 4 カ月前

大学と学部を決める

大学の選び方は日本の大学受験と同様。日本では聞き慣れない学部や、逆に同じ学部名なのに内容が異なる場合があるため、授業内容を大学HP、あるいは「대학백과」などクチコミサイトで確認しましょう。
▷대학백과(テハクペックァ/大学百科) www.univ100.kr/

留学生は筆記試験を受ける必要がないため、学力の判断材料は「高校の成績」のみ。高校の成績はできるだけ上げておこう

3

行きたい大学の入試要項を確認する

出願日程、提出書類の内容、自己紹介書の必要な事項を確認。出願日程は学校によって異なります(SKYは他校に比べて願書提出が早めです)。

4 願書提出の 3 カ月前

必要な書類をそろえる

「高校成績証明書」「高校卒業証明書」に関しては英語への翻訳とアポスティーユが必要なため、高校へは早めに準備してもらうこと。推薦書が必要な場合は一緒に準備を。

APOSTILLE
(Convention de La Haye du 5 octobre 1961)

1. Country: JAPAN
This public document
2. has been signed by 署名をした方の名前
3. acting in the capacity of 署名した方の肩書
4. bears the seal/stamp of 押印した方の名前
Certified
5. at Tokyo もしくは Osaka 6. 認証日
7. by the Ministry of Foreign Affairs
8. 発行番号
9. Seal / stamp: 10. Signature
外務省のスタンプ
認証者のサイン
For the Minister for Foreign Affairs

アポスティーユは日本の官公署、自治体等が発行する公文書に対する外務省の証明のこと

5 願書提出 2 カ月前

自己紹介書(志望理由書)&推薦書を作成する

自己紹介書とは「なぜこの大学、学部、学科を選んだのか」という志望動機と自己PRするための書類。筆記試験がないため、この書類が合格の可否を決めるといって過言ではありません! 語学堂の先生に「推薦書」を書いてもらうのもおすすめです。最後に誤字脱字などのチェック、韓国人による言い回しの添削などを受けるとベター。

6 願書提出

オンライン出願ののち、書類を郵送

学校指定サイトで出願したのち、EMSで願書を提出します。通常は3 ~ 4日で着きますが、連休が重なると時間がかかる場合も。余裕を持って期限の1週間前には提出を。

7

書類通過後に面接を行う(日本にいる場合はオンライン)

書類が通ったら、面接となります。韓国にいる場合は学校にて、日本にいる場合はオンライン面談となり、面談終了後、合否の通知が出ます。

hash tag：#경희대학교（慶熙大学校）#모임（集まり）#과제（課題）

check：

私の通った大学ルポ

~慶熙（キョンヒ）大学校編~

文化コンテンツは注目の学科！韓国らしい課題も集まりも満載です！

私は慶熙大学、文化観光コンテンツ学科（現：文化エンターテイメント学科）に入学しました。1学年のときは全員「観光学部」で学んだ後、2学年で学科を選ぶしくみだったのですが、当時から自分のコンテンツを運営していた私は観光系ではなく「文化コンテンツ系」に進もうと決めていました。最近はYouTubeやブログなども1つのビジネスとして認められるようになってきたので、注目されている学科だと思います。卒業した今でも一番印象に残っている授業は、文化コンテンツマーケティングの授業で、1人1つコンテンツを決めてSWOT分析※1をし、成功要因を探って発表するという授業。韓国の学生のWebtoon※2などについての発表を聞くのも面白かったし、私が発表したアニメ「名探偵コナン」についての分析は教授からも高評価で、成績もAをいただきました。またゲーム企画の授業では“ティンプル（グループ課題）”が重要だったため、定期的に“ジョモイム（集まり）”をし、チームのメンバーとボードゲームカフェでいろいろなゲームをしながら企画し、みんなでゴキブリを退治するボードゲームを作った記憶があります（笑）。

※1：強み・弱みなどを分析し、現状を把握する手法　※2：韓国発ウェブコミック

こりあゆ memo

韓国大学生のマストアプリ

大学生の必須アプリと言えばエブリタイム、略してエタ（에타）。韓国人学生で知らない人はいないといっても過言ではない代物です。大学・キャンパスごとに分けられており、講義の評価（課題の数や出欠、試験回数など）、時間割の作成、掲示板機能などがあり、シラバス（講義要項）を読んだだけではわからないリアルな情報が得られます。

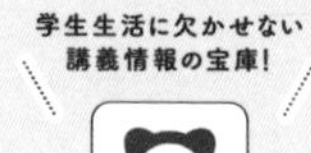

学生生活に欠かせない
講義情報の宝庫！

에브리타임
エブリタイム

ルポ1

慶熙大学生だった こりあゆの1日ルポ!

勉強に遊びに、自習に…と、とにかく充実していた慶熙大学の4年間。大学生活にも慣れてきた2年生のとある1日を紹介します!

正門前。ここから慶熙大学のキャンパス!

大学生活の中心はとにかく学業でした

春は桜が絶景! 本館前の噴水周りの芝生に座って、お酒を飲んだり、ジャージャー麺を食べたりします

1年間の休学も含め、2018年、無事卒業しました!

授業の後は図書館やカフェで**自主学習**

韓国ではカフェ学習が当たり前。長居しても追い出されません

カフェで課題中。図書館を利用する日もあります

【2年生2学期(水曜日)の場合】

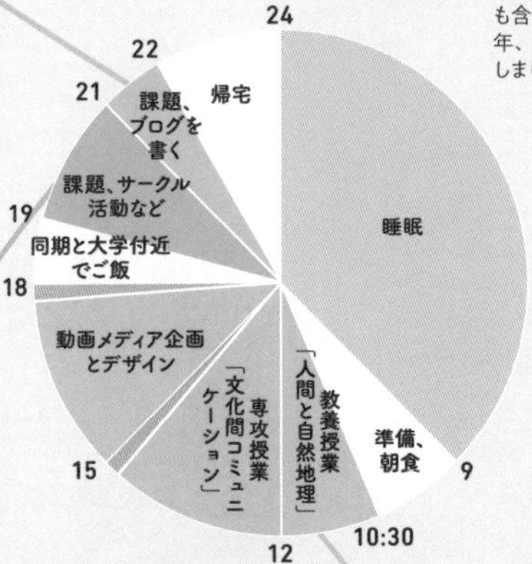

- 24〜9 睡眠
- 9〜10:30 準備、朝食
- 10:30〜12 教養授業「人間と自然地理」
- 12〜15 専攻授業「文化間コミュニケーション」
- 15〜18 動画メディア企画とデザイン
- 18〜19 同期と大学付近でご飯
- 19〜21 課題、サークル活動など
- 21〜22 課題、ブログを書く
- 22〜24 帰宅

授業時間 グループワークが多いのが特徴

↑文化観光コンテンツ学科のある建物
←観光学部の教室

放課後は友達としっかり遊ぶ!

サークル活動 P.085

トンアリ(サークル)に参加する日も。学生のほとんどがどこかに在籍するので仲間作りはしやすいです

グループ課題 P.084

↑チームに分かれてティンプル(グループ課題)。韓国語に自信がなくても、参加する意思を見せるのが大切

↓講義は韓国語だけど、資料は英語の専攻授業。どちらか1つにまとめてほしい…

英語の授業 P.084

ランチはモイム(集まり)しながらの勉強。これも日常茶飯事

ルポ2

大学の授業について

▷その学期の運命が決まる「受講申請」!

韓国の大学生は受講申請までにシラバス(講義要項)を読み、さらにアプリ「エブリタイム」(→P.082)で実際の授業の雰囲気、課題や試験についてリサーチし受講する授業を決めます。日本では「受講科目を申請し定員オーバーの場合は抽選」するのが一般的ですが、韓国の大学は先着順で「決まった日時にログインしてクリック、人数にもれたら空きが出るまでひたすらパソコンとにらめっこ」というもの。申請が10分でも遅れれば希望する授業はほぼないと思ってよいでしょう。

韓国の正確な時間が表示されるサイトで時間を見ながら、時間ぴったりにログインします

▷「オール英語」の授業とは?

大学では"オール英語"の授業がいくつか存在しますが一般教養で必修の「英語1」「英語2」と、英語で進行される専攻の授業が代表的です。教養の英語クラスは受講申請をする際に初級・中級・高級と選べますが、受験で文法や単語は勉強してきている学生ばかりということもあり、文法などの説明はなし! 各級のレベルに合った英語の本を読んで討論したり、書いたりしながら新しい表現を学び、読解ができるようにする授業でした。専攻の授業の場合、私の学科では「英語専攻授業」の履修が必須でした。こちらは"通常の講義が英語で行われる授業"。つまり、英語のドラマを見ていても、字幕なしで聞き取れる程度でないとついていけません。

総じて
韓国人の学生は
英語のレベル高し!

▷「グループ課題」を乗り切るコツ

韓国の大学はグループ課題がかなり多く、4～5名のグループを教授がランダムに決めます。テーマに沿って資料集め、パワーポイント作成、プレゼンなどの作業分担がありますが、もし、言語に自信がなくうまく発言できない、ということであれば、初めに「自分は外国人で疎通がきかないこともあるかもしれないが、できることはやるのでよろしくおねがいします!」くらい言ってもいいですね。留学生は韓国人に比べたら伝達力に欠ける可能性もあり、プレゼンを任せようとはしないと思います。率先して「資料集めします」「パワーポイントここまで作ります」など先に役割を決めるのも手。とにかく"参加の意思"を見せることが大事です!

課題では勉強会やチャットに参加しない、課題をやらないといった意識の低いメンバーがいることも

ルポ3 大学生活について

親友との出会いは
サークルで！

▷ 韓国のサークル「トンアリ」って？

日本も大きく変わらないと思いますが、いろいろなサークルがあります。学科が運営しているサークルと、中央トンアリといって誰でも加入できるサークルがあり、おいしいものを食べるサークル、外国語討論サークル、宗教系サークルなど。私のいた学科（学部）のサークルは、HAC（ホテル研究が目的）でした。

HACにした理由は、トンアリのジャンパーがかわいかったから。ここで今も仲良くしている友達と出会うことになります

▷「大学祭」は夜に行う !?

韓国の大学祭は基本的に昼ではなく「夜」に行われます！　サークルも一番頑張るのは大学祭での活動です。夜がメインの大学祭なので、外の屋台で飲んだり食べたりして、打ち上げは大学祭が終わった23時頃から始まり、朝3時で終了などでした。そして何より、大学祭といえば有名な歌手やアイドルを大学が招待します。4年生のときに近くの建国大学にTWICEが来て、大盛り上がりでした。

TWICEが来たときは大興奮

▷「学生寮」の暮らしって？

学生寮は大学キャンパス内にあるのがほとんど。基本的に2人1部屋ですが、大学によっては4人部屋というタイプもあります。1人暮らしするより安く（月20万～50万W）、そこまで不衛生ではないですし、学校からの距離も最高に近いため、共同生活に抵抗がない方はよいかもしれません。何より保証金がいらないですしね！　ただし、プライバシーの確保が難しい、門限などルールが多いといった不便もあります。大学の入学書類の提出時に申請書を出すことが多いです。

新しくなった慶熙大学の寮は超キレイ。
キャンパス内にあります

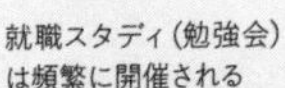

就職スタディ（勉強会）
は頻繁に開催される

▷ 学校での「就活サポート」は？

韓国では、日本のように就活は一斉にスタートしません。休学する人が多いうえ、男性は兵役必須なので同期であっても同じ時期に卒業できるほうが珍しいのです。大学側が準備を手伝う、添削をしてくれる、就活について知る機会をもらえる、というのはほぼなく、スタディやモイムで学生同士が準備するのが一般的。その代わり、就職説明会や先輩の説明会、大企業が来校しての説明会は定期的にあったので参加していました。

hash tag: #대학(テハク)(大学) #상대평가(サンデピョンガ)(相対評価)

check:
超シビア! 現地の学生と競う
大学の評価制度とは?

韓国の学生と対等に競う"相対評価"。語学力の不足は情報力でカバーすべし!

大学に入学して初めて知った、韓国の大学システムの「絶対評価・相対評価」。相対評価では、よい成績をもらうことができる学生の割合が、もともと限られています。つまり、どんなに頑張ってよい成績を取ったとしても、平均点数が高い場合は「A+」などの成績をもらうことが難しいのです。

もちろん、外国人だからといって例外はないので、試験だけでなく課題やレポート、発表のクオリティがどうしても言語的な面で劣ってしまう1～2年生のときは、正直とても大変でした。慣れるまでは、唯一外国人専用授業のある教養の必須授業や日本関連の授業を積極的に受けながら、単位を取得できるように工夫をしていました。

まれに外国人学生を悪い意味で差別するような教授もいたので、口コミがよい教授を探したり、発表のない授業を選んだりと、授業選びもとても大切です。現地の学生しか知らないような情報もキャッチできるように、SNSやアプリ、トンアリ(サークル)などで先輩と親睦を深めておくこともとても大切です。

学校の成績が採用試験にも関係します!

こりあゆ memo

卒業論文の評価は?

日本と同様、本来必須の卒論ですが、学科によって免除の場合があります。私の学部は免除条件が多く、卒業生のうち10～20人くらいしか卒業論文を書かない年もあるほど。TOPIK6級があれば免除というラッキーな条件のほか、公募選の受賞歴も卒論免除の対象になるとのこと。私は運よく、2回ほど受賞歴があったので、証拠の賞状を提出したら免除に。事前に事務局で確認しましょう。

4回生の時期。卒論免除でも課題や就活で忙しい毎日

相対評価と絶対評価の違い

韓 国の大学の場合、学力の評価方法は基本「相対評価」が原則。厳しい試験を勝ち抜いてきた韓国人のなかで"自分がどの順位にあるか"という評価で、外国人がよい成績を維持するのが難しいといわれている理由はこのため。「B」を維持するのも最初は大変だったりします。ただ、英語講義においては絶対評価が多く、相対評価だとしてもAやBの上限が高くなります。

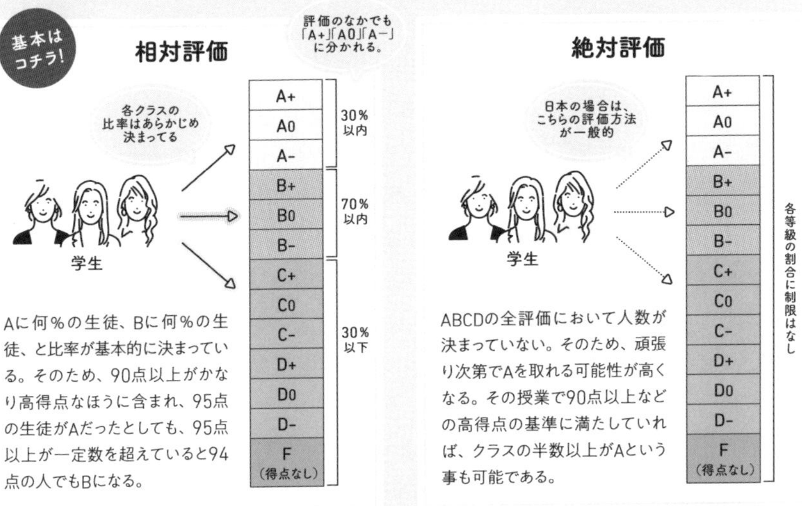

基本は コチラ!
相対評価
評価のなかでも「A+」「A0」「A−」に分かれる。
各クラスの比率はあらかじめ決まってる
学生
A+
A0
A−
B+
B0
B−
C+
C0
C−
D+
D0
D−
F (得点なし)
30% 以内
70% 以内
30% 以下
Aに何%の生徒、Bに何%の生徒、と比率が基本的に決まっている。そのため、90点以上がかなり高得点なほうに含まれ、95点の生徒がAだったとしても、95点以上が一定数を超えていると94点の人でもBになる。
絶対評価
日本の場合は、こちらの評価方法が一般的
学生
A+
A0
A−
B+
B0
B−
C+
C0
C−
D+
D0
D−
F (得点なし)
各等級の割合に制限はなし
ABCDの全評価において人数が決まっていない。そのため、頑張り次第でAを取れる可能性が高くなる。その授業で90点以上などの高得点の基準に満たしていれば、クラスの半数以上がAという事も可能である。

成績上位(A・B評価)を取るには?

韓 国の就職難はかなり深刻で、みな必死で「A以上」を狙います。そのため、韓国語や英語の聞き取りで精一杯の外国人だと、1年生の1学期の平均成績がBを超えることはかなり難しいと思います。しかしコツもあります。成績は、「中間+期末テスト」で60%、課題20%、発表10%、出席10%というのが一般的な配分です。課題を打ち返すことも大事ですが、とにかく期末中間テストで点を取ることが最重要。テスト代わりのレポートもオリジナルのものを制作するなど工夫しましょう。

まだある成績アップの工夫

- 絶対評価の授業を優先する(近年、相対から絶対評価への移行も増えている)
- 韓国語の授業があれば履修する(成績として認められる)
- 「外国人専用授業」や「外国人に優しい教授」を口コミで調べる
- 一緒に授業を受ける韓国人の友人を作る(不明点などサポートをお願いする)

hash tag : #휴학（休学） #장학금（奨学金）

check : 事前チェック必須！

大学の制度をうまく使って！

自己啓発のために使う休学制度や、奨学金制度を必ずチェックしておこう！

2回生、3回生くらいになると仲のよい同期の学生を見かけなくなったんです。「男子は軍隊に行くけど、女子はどこへ?」と思っていたら、留学やインターンなど自己啓発やキャリアのために、韓国人学生は休学をする場合が多いということをそのとき知りました。入学当初は休学するつもりはありませんでしたが、自分のやりたいことを追求する韓国の学生を見て、私も今しかできないことをしようとカナダ留学を決意。留学生が休学をする場合に面倒な手続きがあったものの、韓国は休学時に学費を払う必要もないので、今思うと学生のときにしかない貴重な時間を自分に投資できて、とても有意義な経験だったと思っています。

韓国の大学では、外部での奨学金制度だけでなく成績優秀者がもらえる奨学金、TOPIKの級によって支給が受けられる外国人学生向けの奨学金もあるので、どんな奨学金システムがあるのか必ずチェックしましょう。慶熙大学の場合、常に奨学金制度がアップデートされていて、私の入学時にはなかった留学生奨学金システムで4回生のときに「今学期の成績優秀者上位6名」に選ばれて、表彰&奨学金をいただきました。

こりあゆ memo

休学時の「D-2ビザ」はどうなる?

私のように“純外国人の学生で「D-2ビザ所持」の場合”に限りますが、大学を休学する際は、ビザ期限が有効でも完全に無効になります。外国人は休学申請をした場合、申請後30日以内に韓国を出国&外国人登録証を返還しなければいけません。なお、復学の際はまたD-2ビザを初めて申請したときと同じように、イチから申請となります。

出入国管理事務所の窓口でもレアケースなので詳しくない人も。2人以上に確認することをおすすめします

韓国では**休学は当たり前**

韓国では学期単位で休学でき、休学費を払う必要がありません。そのため、就職に必要な資格の取得、語学留学、兵役、休暇などの理由で1学期から2年ほど、休学するのは日常茶飯事。むしろ、休学しない人のほうが珍しいかもしれません。私も3回生が終わると同時に1年間休学し、カナダに留学して復学をしました。TOEICのレベルUP、カナダでのインターンといった目標も果たせ、スキルアップのほか、就職につながる経験も得ました。休学、大変ですがおすすめです!

カナダ・トロントの語学学校へ。入学時は6クラス中4級でしたが、卒業時は一番上のクラスをパスしました!

CASE1

「資格取得＆就職試験」の塾へ

最も多い休学理由は資格取得。語学習得やIT系の資格のほか、会計士や公務員試験といった就職試験のための通塾なども多いです。

CASE2

「英語力向上」のための留学

カナダでインターンをし、大学に提出。単位も取得しました。韓国出国に伴い、ビザの返却が必要になるため、手続きは煩雑ですが価値はあります。

CASE3

企業で「インターン」する

残念ながら、韓国人は休学してインターンができますが、ビザの返却が必要になるため留学生はできません。長期休暇のタイミングなどでトライしましょう。

留学生ももらえる**奨学金制度**

韓国にはたくさんの奨学金制度があります。大学によって基準の違いはありますが、「TOPIK奨学金」は各大学に制度があります。3級取得者から対象で、6級所得者は1学期授業料が100%免除なんて場合も。また、成績優秀者（評定3.0以上など）、語学優秀者（TOEFLのiBT100～など）に対する奨学金を設ける学校も多いです。建国大学や漢陽大学、崇実大学のほか、慶熙大学も奨学金が充実していることで有名です。

私も4回生のときに「学業優秀賞」に選出され奨学金をいただきました!

まだある奨学金制度!

▷**大韓民国政府奨学金**

Korean Government Scholarship Program（KGSP）
韓国の国立国際教育院（NIIED）が毎年選抜している奨学金。大学入学金及び４年間の授業料が免除となるもの。募集要項は日本学生支援機構（JASSO）を確認。

ryugaku.jasso.go.jp/

Q. 韓国の大学に入ることになったきっかけは?

A. 東方神起! でもいつのまにか“日韓の掛け橋”が夢に!

韓国に来たのは2014年の2月末かな。韓国に興味を持った理由は東方神起。もう中学時代からチャンミンが好きで好きで…(笑)。彼が慶熙大学のポストモダン音楽学科に以前在籍していて「同じ大学に入りたい」という何とも単純な理由がきっかけです。韓国語を勉強できる高校に行きたかったのだけど、当時学べる学校が都内で2校だけ。さらに高校の指定校推薦に慶熙大学の枠があって! 運命じゃんとめちゃ勉強しました。ポストモダン音楽学科に行く手もあったけど、旅行が好きという点も考慮して文化観光コンテンツを選びました。東方神起が起点ですが勉強するうちにどんどん韓国が好きになって、いつのまにか「日韓の掛け橋になる」のが自分の夢に。それで韓国留学するまでになったんです。

リアルなところ、教えて! 韓国の

Q. 大学生活で楽しかったことって?

A. 日々の些細なことから恋愛まで、楽しいしかない!

中学時代からずっと行きたかった韓国に自分が住んでいること、それ自体がもう楽しい! 高校で韓国のことは勉強していたけど、韓国語でのやりとりや大学寮での暮らし、憧れていた大学生活とか、自分が直面するリアルは知らないことがいっぱいで。だからこそ些細なことを含め、すべてが楽しかったです。最初は知り合いがなくて不安もあったけど、学年が進むにつれていろんな友達とも出会えて、サークルにも入って…。あ~、楽しいことがいっぱいでどれか1つには決められない(笑)。それと今も続いている彼氏との出会いもいい思い出。一緒に課題やテスト勉強をやったり、昌徳宮へ課題をしに行ったりして。それと、韓国を知るきっかけになったK-POPも相変わらず大好きで、手の届く距離に韓国文化があって、好きなものに囲まれている幸福感は今も感じています。

Q. 逆に大学生活でつらかったことは?

A. 勉強の多さ&難しさ! トラウマものの大変さでした

ソウルに来た当初は、頼れる知り合いがいなかったことがつらかったですね。高校で韓国語を勉強していたから、言葉の不安は少なかったけれど、高校を卒業してすぐ韓国に来たから、友人もいなかったし家族はみんな日本にいたし。性格上、自分から話しかけるタイプじゃなかったというのも大きいけれど、そこは周囲に話しかける努力をして、徐々に人間関係が変わっていきました。あと、つらいといえば、課題と発表の量が半端じゃなかったこと! 1週間に発表が2つ、さらに課題を3つ提出というタイミングがあって。これは多くの日本人留学生が感じていると思いますが、英語が苦手なのに教材は全部英語で、周囲の韓国人はみんな英語ペラペラで…と。英語のプレッシャーは大きいです! とにかく韓国での大学生活は勉強は大変。これだけは覚悟してください!

大学留学事情!

答えてくれたのは…
りささん

ソウル在住歴10年。慶熙大学文化観光コンテンツ学科卒業。ゲーム会社に就職後転職。現在はアイドルの日本活動関連の仕事をしている。

Q. 大学卒業後って、どうするつもりでした?

A. 日本での就職予定…でしたが、韓国就職に思い直しました

最初の計画は、日本に帰国しようと思っていました。だから途中までは冬休みの帰国時にインターンしようと考えていましたし、就活の会社説明会にも行っていました。でも就活をするなかで、「日本で韓国語ができますよ」というだけじゃ、自分の強みにならないんじゃないかなという気がしてきて。それなら韓国に残って、「韓国語ができる日本のネイティブとして、日本と韓国に関わるような分野で働いたほうが有利かも…」と変わっていったんですよね。韓国人の彼氏と遠距離恋愛になるのも大きかったのですが…(笑)。企業でインターンの経験もして、韓国の求人サイトに履歴書を書いてアップしたら、会社側から連絡が来て、面接を受けて採用されたのが、日本向けゲームの運営と日本のマーケティングの企業でした。今は転職して2社目ですが、韓国での就職を選んで間違いなかったなって思っています。

hash tag : #아르바이트[アルバイトゥ](アルバイト) #인턴[イントン](インターン)

check :

アルバイト・インターンをするには

韓国でのアルバイト（→P.103）経験はそんなに多くはないのですが、一番印象に残っているアルバイトはチラシ配りと、普段こりあゆとして通っていた日本人美容師のいる美容室「BUSKER HAIR」で、レセプションとして働かせていただいた経験でしょうか。私の活動や学業のことを理解してくれていた美容室で時間の融通を利かせてくれたのと、チラシ配りもウェブサイト「アルバモン」などで応募しましたが、空いた時間に短時間でできるアルバイトだったので私に向いていました。目の前でチラシを捨てられてしまったときは悲しかったですが（笑）。
また、韓国で就職するのに何よりも大事なのが「インターン」経験で企業は学生のうちから関連業務の実務経験があることを重要視します。そのため私は卒業確定をしてから「졸업유예（ジョロプユエ／卒業猶予）」というシステムを使って、6カ月間卒業を延期し学費は払わず籍だけ学校に置き、大企業で3カ月間グローバルマーケティングのインターンをしました。インターンをしながら、就職のための書類準備や面接準備をし、就職にいたりました。

卒業猶予の制度を使って経験したインターンが就職につながりました！

こりあゆ memo

アルバイトは「資格外活動許可」が必要！

D-2、D-4のビザの留学生が、企業から給料が発生するような仕事をする場合には、入国管理事務所で「資格外活動許可」の申請をする必要があります。私はこの申請で1週間に20時間以内（土・日曜、長期休みは無制限）で働くことができました。必要書類は①申請書、②大学（語学堂）の成績証明書、③在学証明書、④外国人留学生時間制就業確認書、⑤事業者登録証コピー、⑥勤労契約書です。

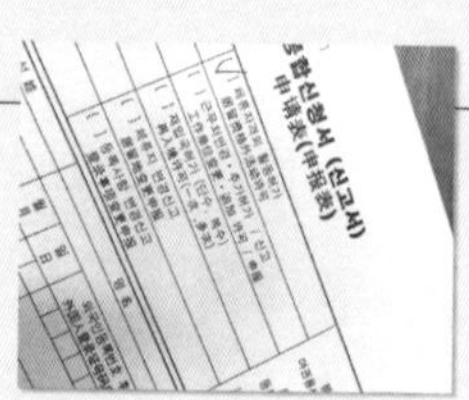

事業登録証に「製造業」の記載がある場合は、左記のほか、「外国人留学生時間制就業条件遵守確認書」と「雇用主の身分証明書のコピー」も必要

アルバイトするには？

⊳⊳ P.103

アルバイトをすると、お金が稼げるだけでなく、敬語を覚えたり語彙が増えたりというメリットがあります。また留学生に人気のバイトに校内アルバイトがあります。成績がよく意欲的、韓国語が問題なく話せる人が選ばれる傾向にあり、採用人数も少なく狭き門ですがチェックしておきましょう。なお、ビザとは別に、アルバイトをする際は「資格外活動許可」が必要です。申請がない場合は不法就労になってしまいますので注意しましょう。

ビザ ⊳⊳ P.162

「D-2（留学）ビザ」、「D-4（一般研修）ビザ」があればアルバイトが可能です（左ページ）。なおビザの種類によって勤労可能な時間が異なりますので要確認。

探し方

日本と同様、アルバイト情報サイトで検索し、探します。

▷アルバイト数が多い「알바몬(アルバモン)」 www.albamon.com/

▷アルバモンにない企業も「알바천국(アルバ天国)」 www.alba.co.kr/

▷日本語で検索可能「コネスト」 comm.konest.com

留学生にはこんな仕事があります

- カフェのスタッフ
- 校内アルバイト（図書館や教務課など）
- 日本居酒屋のスタッフ
- コスメや免税店など、ショップ店員

インターンとして活動するには？

アルバイトとインターンだと必要なビザが異なります

韓国には1カ月程度の短期から1年など長期のものまで、さまざまなインターンがあります。PCスキルや実務経験を積むことで就活に役立つほか、企業文化の理解や語学力の向上につながるというメリットがあります。アルバイトと異なり、採用には有給と無給の場合があります。基本的にTOPIK3～4級以上は必須になるほか、ホテルなど観光関係の仕事の場合には、英語力があることも重要です。

ビザ

インターンをするには「D-4ビザ」「D-2ビザ」、ワーキングホリデー用の「H-1ビザ」、また就活用の「D-10ビザ」が必要です。

探し方

求人サイトのキーワード検索で「인턴（イントン）」と検索する。
有給のほか無給もあります。

▷インターンの募集も多数「잡코리아(ジョブコリア)」 www.jobkorea.co.kr

▷大手求人サイト「사람인（サラミン）」 www.saramin.co.kr

留学生にはこんな仕事があります

- 企業インターン
- ホテルスタッフ
- 観光業スタッフ

hash tag：#신조어（新造語） #줄임말（略語）

check：教科書に載ってない!?

韓国の大学用語をレクチャー！

大学は略語や造語だらけです。学生言葉はとにかく覚えるべし！

セルカ、スマホ、インスタなど、日本でも略語や若者による造語は多いと思いますが、韓国の大学生も日常的にかなり連発しています（むしろ日本よりも多いかもしれません!）。しかし、当然ながらこれらは教科書に一切出てこない表現で、どんなに韓国語を一生懸命勉強した人でも、まったく理解できないと思います。私も大学に慣れるまでは、何のこと!? と思うような、大学でしか使わないような単語がたくさんありました。
略語はとくに多く、「一生懸命勉強する＝열심히 공부하다（ヨルシミ コンブハダ）」という一文が、「열공（ヨルゴン）」と大幅に短縮されたりします（笑）。アイスアメリカーノは頭文字を取って「아아（アア）」と書いたりして、説明されないと絶対わからないことも多数…。さらに、新造語も多く、学生の間では、ワークライフバランスならぬ、「Study life balance＝스라밸（スラベル）」なんて言葉も流行りました。もはや、私もついていけていないのですが、とりあえずはこれを知っていれば大学内で困ることはないと思われる頻出ワードを挙げておきます（右ページ）。ただし、目上の方に話すのは失礼とされる単語もあるので、教授や年配の方に使用するのはやめておきましょう!

「JMT～!（超美味!）」は존맛탱の略

こりあゆ memo

大学生の必須トークアプリ

韓国の大学生が使うのはLINEでなくカカオトーク。課題をグループで送りあうのもカカオ、教授と連絡を取るのも時にはカカオ…といった具合。当然、グループ課題のメンバーとのやりとりも同様で、メッセンジャー上に「グループチャット」を作ります。これを「단톡(タントッ)」といいます。「단체（タンチェ）＝団体」＋「톡（トッ）＝トーク」の略語です。授業やゼミなどの公示としても使うことがあります。

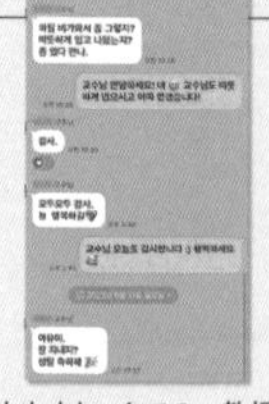

カカオトークでの、教授とのチャットやりとり

韓国語の教科書には載ってないかも!

大学でよく使う韓国語30

頻出ワード	こりあゆ解説!
シガンピョ 시간표	時間割。日本語で時間表と言っても通じると思うのですが、韓国語で書くときは時間表。
ハクシッ 학식	学生食堂を略して学食。
トンアリ 동아리	日本でいうサークルという意味。
パルピョ 발표	発表、プレゼンのこと。韓国語にも프리젠테이션(プレゼンテーション)という言葉はあるのですが、「発表」という言い方をよく使います。大学によってはプレゼンテーションのほうを使うところもあるかもしれません。
ティンプル 팀플	グループを作って行う課題のことをティンプルと言います。あとは조별과제(グループ課題)ともいいます。
ジョモイム 조모임	ティンプルはグループで取り組む課題のことで、ジョモイムはその集まりのこと。
ピピティ 피피티	日本語ではパワーポイントをパワポと言いますが、韓国ではPPTという言い方をします。カナダでもそうだったんですが、ほかの国ではどうなのでしょう?
ボコソ／リポト 보고서／리포트(레포트)	報告書、レポート両方とも使います。
チュルチェ 출첵	出席チェックを短くした言葉です。
チュルティ 출튀	出席だけ取って逃げること。日本語では何というのでしょう? 私が聞いてた授業はチュルティに厳しかったです。
コンガン 공강	授業がない空き時間のこと。学期が始まると友達と時間割を照らし合わせて被っているコンガンの時間をチェックします。
ウジュコンガン 우주공강	授業がない間の時間がかなり長くて、時間割のコンガンが宇宙のように広いことから「宇宙コンガン」と言います。
ヨンガン 연강	連続授業という意味。連続で授業がある場合、「今日何時間ヨンガンなんだ~」というふうによく使います。
ウォルゴン／ハゴン／スゴン／モッゴン／クムゴン 월공／화공／수공／목공／금공	月火水木金に+ゴン(空)をつけると、その日丸々授業が1つもない日という意味になります。たいていみんなウォルゴン(月空)や、クムゴン(金空)を好みます。
イルゴシ／イゴシ／サムゴシ 1교시／2교시／3교시	~時間目、~限目を漢字そのまま韓国語にしてしまうと、???な韓国語になってしまいます。日本語との微妙な違いに注意!
ハクポン 학번(学番)	2013年入学の学生は13学番、2014年入学の学生は14学番と言うのが一般的。大学ではみんな年齢が近いので、「何歳?」よりは「何学番?」という聞き方をします。
コハクパン 고학번(高学番) ファソ =화석(化石)、 アンモナイト 암모나이트(アンモナイト)	高学番というのは上で説明した学番の数字が少ないほど、大学に入学した年が古いということ。自虐的に化石、アンモナイトとも言います。
プリライダ 프리라이더	グループ課題で何もしない人のことをフリーライダーと言います。
クァジャム 과잠	韓国の大学の象徴とも言えるジャンパーですが、学科ごとのジャンパーのことを과잠、サークルごとのジャンパーを동잠(トンジャム)と言います!
チョンソン／チョンピル 전선／전필	チョンソンは専攻選択授業、チョンピルは専攻必須授業のこと。それぞれ「전공선택(専攻選択)」「전공필수(専攻必須)」授業の略。

CHAPTER

4

WORK

ソウルで働く

서울에서（ソウルエソ） 일하다（イルハダ）

韓国コンテンツを広める仕事がしたい！
自分がやりたい仕事は、ここでしかできないのではないか。
気付けば日本帰国をやめ、韓国就職の決意をしていました。

私が在学中は大学の日本人の先輩のうち90％近くは卒業後、日本での就職を準備していました。そんな先輩方を見てきた私は、韓国に残って働くか、日本に戻るかで気持ちは半々。
韓国に残ることを決めたのは、日本での就活を進めている途中。日本でも内定をもらっておこうと、ずっと興味のあった会社に応募し、最終面接の面接会場に向かう途中、ふと違和感を覚えました。
生きがいを与えてくれた国と文化にやっと適応しつつあるのに、このまま帰ってしまってよいのだろうか――。
自分のコンテンツも発信しながら会社でマーケティングをするならば、韓国に残ったほうができることの幅が広いのではないか。気付けば日本帰国をやめ、韓国に残ることを決め、就職の準備をしていました。
D-2ビザ（学生ビザ）から、D-10ビザ（就活ビザ）に変更し、大企業でインターンをしながら就職活動。自己啓発のための休学が一般的＆兵役制度のある韓国では卒業をする年齢も人それぞれ。自由度の高さはいいのですが、外国人である私からすると何から始めたらよいのかわからず、とても戸惑いました。いろんな面接を経験するためあちこちに履歴書を送っていたとき、新卒で応募できるうえ、興味のある分野のスタートアップ企業の募集要項を見つけました。
私の場合は奇跡的にここから新卒社会人生活が始まり、今では転職もして韓国で社会人7年目。

韓国の会社文化に触れながら、今では「ウリ」の仲間入り…？
そんな関係性ができつつあるかな？と思っています。

ソウルで働く KEYWORD 서울에서(ソウルエソ) 일하다(イルハダ)

異文化体験フルコンボ！ 韓国企業で働くとは？

スタートアップで新卒社会人を開始し、転職も経験して、現在韓国で社会人7年目。最初は、急げ急げの「パリパリ文化」の洗礼を受け、そのスピード感に圧倒されたことを覚えています。ビジネスマナーや福利厚生など、日本と似た面はありつつも、韓国の企業文化はかなり違います。社内コミュニケーションのあり方など、日本で働くビジネスパーソンでも役に立つと思いますよ!

労働制度や福利厚生は
日本と似ている。
権利関係は入社時に確認 ⊳P.114

勤務時間や福利厚生は日本とほぼ同じシステムですが、多くの企業が年俸制をとるため、日本より成果主義の色が強いです。「食事補助」は日本に比べ、相当手厚い!

社内でも社外でも大事なのは上下関係。
儒教文化をマスターすべし ⊳P.120

外部の人に対しても「うちの社長様は…」と話すほど、目上の人への敬語は絶対。これは儒教に由来する独特の文化です。握手、お酒、呼び方など、ビジネスシーンでは上下関係を非常に重要視しています。

ちょこっと働くだけ…だけど、ビザ関係はグレーゾーン
気を付けておきたい
ノマドワーカー
⊳P.162

韓国で働いて、日本で給料を得るいわゆる「ノマド」ですが、就労ビザがない限りNGです。2024年から「デジタルノマドビザ」が登場したことで働きやすくなるかもしれません。

おつかれ～

半休制度から2時間休みの
半々休制度まで。
日本より柔軟かも?
な働き方システム ⊳⊳P.113

多くの企業がフレックスタイムを導入しており勤務時間も自由度が高くなっています。半休ならぬ"半半休"で、金曜夜から海外へ…といった人も見かけます。

韓流ビザも
登場する!?
とにかく変化の早い
就労ビザ事情
⊳P.122

韓国のビザは条件の変更が多く注意が必要です。2024年からは通称「韓流ビザ」「デジタルノマドビザ」が登場しています。

TOEIC

IT

留学

会計士

스펙（スペック）

企業が求めるのは即戦力！
新卒から求められる
ビジネススキルを磨く
べし ⊳⊳P.107

韓国の大企業は一括採用でなく、必要に応じて募集する「常時採用」が基本。学生は即戦力になれるよう学生のうちから、スペック向上を目指します。

ワーホリで企業採用
は難しい?
就労ビザによって働ける幅が違う現実
⊳P.100

ワーホリビザではアルバイトかインターンで働けますが、正社員として働くことはできません。企業就職の場合は、就労ビザが必要です。

採用試験のお約束
リクルートスーツはない。
では何を着る?
⊳P.111

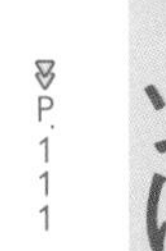

「スーツ着用」なら
정장 착용
チョン ジャン チャ ギョン

採用面接でスーツは着ますが、日本のように全員が黒いスーツに白シャツといった習慣はありません。清潔感は大切ですが割と自由な服装です。

hash tag : #워홀（ワーキングホリデー） #통역（通訳） #모집（募集）

1

check : 楽しみながら滞在!

ワーホリビザで働いてみる!

ワーホリの仕事探しは結構大変！
日本人向けサイトをマメにチェックして

ワーキングホリデー（ワーホリ）とは、2国間の協定に基づいて、休暇を楽しみながら一定の就労をすること。ある程度、意思疎通ができるくらいの韓国語能力を持った人でも、ワーホリでの仕事はビザの期間が限られていることもあり、なかなか仕事が探しにくい傾向にあります。ワーホリの場合、現地の求人サイトより、日本人向けサイトのほうが仕事が探しやすいかもしれません。

代表的なサイトとしては、韓国在住日本人向けコミュニティサイトの「コネスト」「ソウルナビ」などが挙げられますね。日本語系のお仕事（翻訳・通訳など）や、日本系居酒屋だけでなく、最近は企業が書き込むことも多いです。日本語ネイティブを強く必要としている企業やポジションが、日本のコミュニティサイトで募集を上げるため、ワーホリでも対象者になる可能性が高いです。そして有名な韓国企業のアルバイト募集やインターン募集の求人もまれにあります! 常にチェックしておくとよいでしょう!

こりあゆ memo

ワーホリの年齢制限が引き下げに!

韓国のワーホリは定員が1万人と多く、例年定員に達することはありませんので、申請が降りる確率は高いです。ただし、年齢制限が2022年から変更になり、18～25歳までと引き下げになっています。やむを得ない事情があれば30歳までは受理されるようですが、その条件は明確になっていません。年齢制限については窓口となる大使館・領事館によって異なるため事前の確認が必要です。

大使館のHPで問い合わせ先を確認!

ワーキングホリデービザって？

働きながら
ソウルを楽しむ!

韓国のワーキングホリデービザは「観光就業（H-1）ビザ」というのが正式名称。あくまで「観光」が目的で、現地での生活費をアルバイトなどで収入を得ながら滞在するというビザです。通常、ビザの発給人数には制限がありますが、韓国は1万人と他国より大幅に多いことが特徴です。発給日から1年間有効（あるいは、韓国に入国から1年間滞在）できます。1人につき1回しか取得できず、滞在期間内での再入国は自由※です。

※ただし、再入国許可の申請が必要

OK?

H-1 Visa

ワーホリの魅力

ワーホリ中はアルバイトするだけでなく、語学学校に通ったり、旅行したりすることもできます。また「必ず仕事をしないといけない」というわけでもありません。1年間、自由に計画することができるのが一番の魅力です。アルバイトはD-2、D-4ビザ(→P.093)でも可能ですが、資格外活動許可の届けが必要です。ソウルで好きなことが目いっぱいできるのは、ワーキングホリデービザということになります。

語学学校で韓国語を学ぶ

長期滞在しながら
韓国文化を体験!

韓国の地方をのんびり回ってみる

伝統文化を経験するのも楽しい!

ワーキングホリデービザの参加資格条件

ワーホリビザを取得するには申請条件がありますが、年齢と資金面の条件以外は難しくありません。韓国語力に関しての条件はありませんが、もしソウルでアルバイトをするならば、それ相応の韓国語力が必要になります。語学の習熟度も踏まえて計画を立てるようにしましょう。

参加資格条件

- 日本に居住する日本国民であること
- 18歳以上25歳
（やむを得ない事情と判断される場合は30歳）以下であること
- パスポートの有効期間が、ビザ発給申請時から6カ月以上であること
- 身体健康であること
- 扶養家族などを同伴しないこと
- 過去、ワーホリに参加した経験がないこと
- 銀行残高証明書原本提出（30万円以上）
- 往復航空券などのコピー（40万円以上の銀行残高証明書でも可）
- 観光就業活動計画書（ワードを利用し作成、指定書式なし。
※韓国語または英文で作成）

留学エージェントに聞きました!

ワーキングホリデービザの申請フロー

1 **書類申請3週間前**

領事館HPで「ビザ申請書」をダウンロードし記入

「査証発給申請書」から書類(PDF)を入手し、記載します。日本語での記載が可能。

2

ビザ申請書以外の「必要書類」を準備する

「最終学歴証明書」および、「銀行預貯金残高証明書」は取得までに1～2週間かかる場合があります。「活動計画書」は、①入国、出国予定日、②申請動機、③活動内容、④帰国後の計画の4点を含む内容で作成します。なお、ワーホリの申請料は不要。

大韓民国ビザポータルの画面。フォームに沿って必要事項や申請番号などを入れると、ビザの結果がわかります

3 **毎年1月1日から先着順で受付がスタート**

②の必要書類を「韓国大使館(または領事館)」に提出

ビザ申請はすべて窓口にて直接行います。郵送は不可。書類に不備がなければビザが発給されます。

申請に必要な書類

- ●ビザ発給申請書(領事館HPでダウンロード可)
- ●パスポート(有効期間6カ月以上)
- ●パスポートのコピー
- ●カラー写真1枚
- ●犯罪経歴証明書(アポスティーユ不要)
- ●健康診断書
- ●保険証書(韓国在留期間中、保障額4000万W以上)
- ●在学証明書、もしくは最終学歴証明書
- ●活動計画書
- ●往復航空券などのコピー(40万円以上の銀行残高証明書でも可)
- ●銀行預貯金残高証明書(30万円以上)

申請書類は、領事館・大使館によって微妙に異なります。必ず事前に問い合わせを。

4 **申請後3～10日で結果発表**

韓国大使館または領事館でビザを受け取る

ビザを受け取りに窓口へ。申請結果を確認できるサイトもあります。

▷**大韓民国ビザポータル**

www.visa.go.kr/

5 **ビザ発給から12カ月以内に入国**

ビザの有効期限内に韓国へ入国する

入国期限はビザ発給から1年。年齢によっては有効期限が異なる場合があります。窓口で確認しておきましょう。

こりあゆ memo

ワーホリで企業に勤めるのは難しい

「H-1(ワーホリ)ビザで、韓国企業で勤務をしたい」という人もいるかと思います。しかし、ワーホリビザはあくまで観光がメインのビザで、時間制限もあることから正社員で働くことは難しいようです。韓国就職を考えている人は、現地採用面接を通じて、就労ビザを発給してくれる会社を探す必要があります。

ワーホリビザで、企業インターンやアルバイトは可能です。経験を積むという意味では、有意義な体験になると思います

韓国アルバイト事情まとめ！

▷働ける時間＆給料は？

ワーホリビザの場合、多くの人が韓国でのアルバイトを経験すると思います。しかし、働く時間は週25時間（滞在1年間で最大1300時間）と決められているため、稼げる金額にも限度があります。たとえば1年の総労働時間を12カ月で割ると、単純計算1カ月108.3時間までの勤務ですが、現在の最低賃金が9860W※なので、フルに働いても稼げる額は月10万円程度。月々の食費や生活費、家賃などで月14万～15万円程度はかかりますので、遊びや旅行なども考えている人は、貯金をしておきましょう。

※2024年3月時点

▽おもなアルバイトの給料目安

職種	賃金	必要な語学力※
ファストフードの店員	9860W～	★☆☆
コンビニ店員	9860W～	★☆☆
飲食店スタッフ（日本料理店）	1万W～	★☆☆
カフェ店員	9860W～	★★☆
飲食店スタッフ（高級店）	1万1000W～	★★☆
旅行会社（書類作成、ジムなど）	1万1000W～	★★☆
美容整形外科（通訳、受付など）	1万2000W～	★★★
事務職（留学会社、通販など）	1万3000W～	★★★

※TOPIKの目安／★：1～2級　★★：3～4級　★★★：5～6級

▷仕事の探し方

近年の就職難から、アルバイト採用も難しくなっています。やはり重要なのは履歴書。過去のバイトや勤務経験を細かく書いた履歴書(韓国語と日本語）を、ワードやエクセルで作成します。

①コネストやソウルナビの掲示板を利用する

サイト内の生活・交流掲示板に日本人向けのアルバイト募集が並んでいます。しかし誰でも投稿できるサイトなので、労働条件やビザなどは面接時に自分で見極める必要があります。

www.konest.com/　www.seoulnavi.com

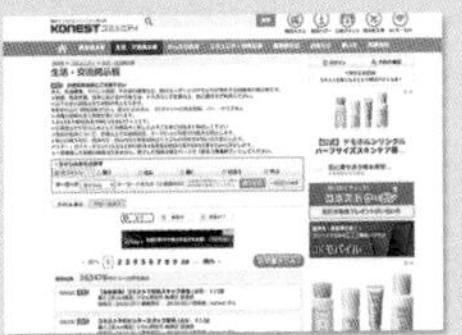

コネストの交流掲示板。採用情報がかなり掲載されています

②アルバモン（알바몬）/アルバ天国（알바천국）

アルバイト情報サイトの大手2社。労働条件（給与、期間など）での絞り込みのほか、採用企業の情報も記載。また履歴書を登録すると希望に合う求人が自動で出てきます。履歴書を見た企業側からスカウトされることもあります。

www.albamon.com/　www.alba.co.kr

韓国の履歴書は、アルバモンなどのサイトでもダウンロード可能

③アルバイト募集の貼り紙（コンビニなど）

お店に張ってある募集を見て応募。雰囲気や仕事内容を見てから応募できるのでミスマッチが少ないのがメリット。ただし、ほぼ韓国人向けなので韓国語力は求められます。

▷韓国のアルバイト事情

韓国ではアルバイト教育が一般的でなく、基本的な説明を受けた後は、「わからないことがあれば聞いてね!」程度です。日本の丁寧な教育を基準に考えると戸惑うかもしれません。特にカフェやコンビニは1人体制で店番するケースも多く、仕事を覚えるまでは結構ハード。おしゃれカフェで働きたい人も多いと思いますが、必要な韓国語力は高めです。ほか、コンビニ店員がスマホを触っていたり座っていたり、なんて状況を見かけることもあると思いますが、これは韓国あるある。就業態度に関してはあまりうるさくありません。

Q. ソウルでどうやって就職先を探したの？

A. 求人サイトに履歴書をUPしたら会社側からスカウトが！

りさ 韓国には「サラミンsaramin」「インクルートincruit」といった、日本の「マイナビ」みたいな就活サイトがいくつもあるけど、そこに履歴書をアップしていたら、会社側から連絡が来て。面接を受けてそのまま採用に。日本人の場合、就労ビザがでない限り働けないから、そのときは何より「ビザ優先」。もう条件が合うならとりあえずOKという感じでした。

こりあゆ 確かゲーム関連の会社に行ったよね

りさ そうそう。業務はゲーム運営と日本向けのマーケティング。ゲームだから事前予約もあるし、広告アプリの手配もあったし、コミュニティ上でカスタマーサービスから翻訳、通訳、イベント企画全般までいろいろ。もう"運営"という名の何でも屋でした！

こりあゆinterview!

リアルなところ、教えて！ ソウル

Q. 働いていてストレスや嫌だったことは？

A. 労働時間の長さと給料の安さがほんとつらかった！

りさ 一緒に働いていた仲間たちは何でも言い合える関係で、とてもよかったけど、仕事の内容がかなりきつくて！ 今でこそ韓国は"働き方改革"で労働時間に厳しくなったけど、当時は残業が多くてかつ、残業代が出ない！ 労働時間や内容と給料が見合ってなかった。

こりあゆ いわゆるブラック企業だった…と。

りさ そう。ゲームの運営だから、バグが起きるとユーザーからものすごいクレームがくる。それがストレスでゲームが嫌いになりそうなほどだった。エンタメ業界って自分がずっとやりたかった仕事だし、なんとか3年間耐えたけど限界が来て…。契約更新のタイミングもあって退職しました。その頃、知り合いからも転職の誘いがかかって。あー、頑張っていると誰かが見ていて、次につながるものだなって。面接も受けて、次の企業に転職することになりました。

Q. 韓国で働くことのやりがいは？

A. “誰でもできる”じゃなく、“私にしかできない”ことを見つけた事

りさ 新卒の頃は自分の強みってハッキリわからなかったけど、仕事を重ねるなかで、外国人として韓国語を話せる能力に加え、日本語ネイティブとしての知識が生かせるっていう「韓国人には絶対ない強み」に気付いてきて。たとえば韓国語のゲームを日本語に翻訳して、日本のユーザーに届けるってことは誰でもできるわけじゃないしね。些細なことかもしれないけど、“私にしかできない”ってことが、一番大きなやりがいかな。

こりあゆ 日本で就職していたら「ただ韓国語ができる人」に留まっていた可能性があるよね。

りさ おっしゃる通り。今は、自分が昔から興味があったエンタメ系で働いていること自体にやりがいがあるかな。韓国だからということでなく、私の興味や生き方に合っている仕事に出会えたこと、同時に夢が叶えられていることに充実感と喜びを感じています!

の就職事情!

答えてくれたのは…
りささん

ソウル在住歴10年。慶熙大学文化観光コンテンツ学科卒業。ゲーム会社に就職後転職。現在はアイドルの日本活動関連の仕事をしている。

Q. 韓国人と働いてみての感想はどう？

A. 仕事も食べるのも、エレベーターの扉の開閉でさえ早い（笑）

りさ 韓国の人は、自分の意見をはっきり言うよね。そこに関してはこの10年間でかなり慣れました。日本みたいに、周りに合わせて自分の意見を言わない態度だと「何も考えてない人」って思われるし、自分が嫌な思いをすることがある。そうならないように自分も意見を言えるように変わったかな。あと、韓国人は何をするのも早い。食べるのも早いし、仕事の処理速度も早いし。

こりあゆ 本当に早いよね。会社のチャットも一瞬で見てすぐ返さないといけない!

りさ 逆に日本はペースが遅くてもどかしい!

こりあゆ エレベーターのドアですら遅く感じるときがある（笑）。でも、りさちゃんは強くなったと思う。それは韓国に10年ぐらい住んでいる日本人を見ていると自分も含め全員に感じるな。

りさ 自分の意見を伝える&スピード感! この2つは韓国で働くうえで必須かも。

area ― home ― study ― work ― life

hash tag: #스펙（スペック） #공개채용（公募採用） #수시채용（常時採用）

check: 外国人でも働ける！

会社を探すにはどうする？

大企業は公募開始の時期があります。興味のある企業は、定点チェックが吉！

ビザの問題をクリアし、いざ韓国で正社員を目指したいけど、どこで何をどう探したらいいのか、私も最初はよくわかりませんでした。そんななか、周囲の現地学生の様子を見つつ、手探りで就活をしながらわかってきたのは以下の3つです。

1 大企業が「공채（コンチェ）」を出す時期は大体予測が可能！

就活の時期が決まっている日本に比べ、韓国ではそういった決まりは特にないというお話をしましたが、大企業が공채コンチェ（공개채용＝一斉に各ポジションの募集要項を公開）を行う時期は大体決まっている傾向にあります。1年に2回、上半期は3～4月、下半期は10～11月である場合が多いですが、企業によっては1年に1回しか出さないこともあれば、新卒採用がない場合、時期がずれる場合もあります。興味のある企業の採用ページは、常にチェックしておくとよいでしょう。

2 大企業以外の求人はいろんなローカルサイトで随時確認する！

韓国の代表的な就職サイトである「Saramin」「JOBKOREA」「Wantedly」などで常にチェック！ 수시채용（常時採用＝必要な時期に必要な人数だけを採用）の場合、採用が終わり次第すぐに締め切ることも多くあるので、スピードが命です。

3 職務経験のある方は履歴書をアップし、オファーを待とう！

志願をするほか、日本同様にサイトに履歴書をアップしておき、オファーを待つという方法もあります。大手就活サイト「Saramin」「JOBKOREA」「Wantedly」以外にも、「Remember」や「LinkedIn」を通してのオファーも多く聞きます。日本ではなじみがないかもしれませんが、海外ではよく利用されている、ビジネス版SNSの「LinkedIn」は韓国でも利用している人が多いサービスです。

就活までに備えておきたい"SPEC"とは!?

韓国におけるSPECとは「就活に有利となる能力や経歴、資格」のこと。韓国では学歴や語学スコア、大学の成績、海外経験、インターン経験といった書類に明記できる項目のために、休学して資格の専門学校に通ったり、海外留学に行ったりします。また、日本は将来性に期待する「ポテンシャル採用」が多いのですが、韓国は「即戦力採用」。つまり、採用時点の専門知識やスキル、経験を重視します。特に必要とされる資格は以下です。

英語で企業研究といったハイレベルな勉強会も!
How is the performance of A?
I think...

▷語学系の資格

大前提として「韓国語能力試験(TOPIK)」の実力が問われますが、ビジネスレベル以上(5～6級)が必要です。英語のコミュニケーション能力テスト「TOEIC」もほとんどの人が取得する資格です。英語が必須の企業への就職を考えている場合は750点以上、一般的な英語の実力を示す場合は600点以上を取得していることが望ましいです。

▷ビジネス系の資格

MOS(マイクロソフトオフィススペシャリスト)は国際資格のひとつ。Word、Excel、PowerPoint、Access、Outlookの習熟度を示せます。一般と上級と2種あり、上級を目指す人が多いようです。またITに強い証明になる資格や経験も人気。プログラミングのほか、WEBデザイン(웹디자인 기능사／Webデザイン技能士)は持っていると有利な資格です。

▷外国人ならではの資格

韓国の就職難から、日本就職を希望する人が増えており、日本語教師も需要があります。4年制大学での日本語専攻の経歴のほか、日本語教師養成コースの修了経験、日本語教育能力検定などを取得する方法があります。

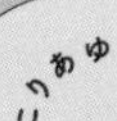

memo

職種と大学専攻の関係性

外国人が就職するとなった場合、大学での専攻がとても大事になってきます。基本的にE-7ビザの発行条件として、「業務内容と大学の専攻が一致していること」があります。全く業種と専攻が異なっているという理由で、ビザがリジェクトされた友人も。関連性のない業種にチャレンジする場合は、生活が自由なビザ(F-2や結婚ビザ、永住権など)や、専門家を通したビザ申請が必要になることも。

専攻と職種が異なる場合はその理由を答えられるようにしておこう!

hash tag : #자소서(自紹書) #자기소개서(自己紹介書) #경력기술서(経歴技術書)

3

check : 書類作りが鍵!

会社に志願してみる

会社に応募する際、大企業では企業ごとに提出書類のフォーマットが決まっているケースがほとんどですが、追加で文書を作成し提出する場合が多いです。一般的には"자소서"と呼ばれる「자기소개서(自己紹介書)」、「경력기술서(経歴技術書)」が必要です。これらをまとめて書くことができるようになっている、とても使いやすいフォーマットが「Saramin」「JOBKOREA」「Wantedly」などのサイトにあるので作成してPDFで保存しておくとよいと思います。個人的にはWantedlyがトレンディで簡潔に履歴書が書けるので好きですが、さらに細かく追加で内容を入れていきたい場合はSaraminやJOBKOREAがおすすめ。大企業の応募用紙には大学での成績の入力欄があるので、もちろん成績もチェックされる場合もありますが、一番大事なのは自分の意見や長所を言語化できる「自己表現能力」と「経験」です。韓国では学生の時から外部での活動やインターン、海外ボランティアなど、自分の進みたい進路と関連のある活動をすることが大事(SPEC→P.107)となってくるので、いろんな企業や団体で経験をしておくとプラスになります。

自己表現力を磨きながらさまざまなスペック&経験を積むべし!

インターン経験は重要!

こりあゆ memo

韓国人の大企業志向のワケは?

韓国の学生は幼年期から有名大学、一流企業を目指してきたので、大企業志向はかなり強い傾向にあります。しかし、大企業にこだわる大きな理由は、大手と中小企業の待遇格差。大手企業と中小企業とでは収入に2倍以上の格差があります(→P.114)。雇用の不安定さもあり、大企業に集中するような構造となっています。最近は福利厚生を充実させるなど、魅力あるスタートアップ企業も増えています。

自己紹介書の書き方

企業に応募する際、①履歴書、②自己紹介書はほぼ必須です。企業によっては経歴証明書（ポートフォリオ）を提出する場合があります。履歴書、経歴証明書の内容は日本と同様ですが、自己紹介書は韓国独自で応募者の人柄や考え方、これまでの成長過程や経験などを採用担当者にPRするものです。

自己紹介書

자기소개서

●자기소개 (성장과정，학습내용 등)

●경력기술

●지원 동기

●성격의 장단점

●입사 후 포부

自己紹介（成長過程、修学内容など）

自分がどんな環境で育ったかを記載。子ども時代から時系列に記載するのではなく、成長過程で最も自分に影響を与えたエピソードに絞り、現在に至った経緯をストーリー仕立てで紹介するとよいでしょう。

経歴技術

前職での経験と、何を得たのかなどを記載。過去に達成したノルマや成績など、その価値が客観的にわかるように数字を織り交ぜて説明できるとベター。企業が英語に堪能な人材を求めているのであれば英語を使った職業経験や留学などの経験を書くなど、「企業が求めている人材」に応えるような経験を記載します。新卒でも、関連業務を少しでもアルバイトやインターンでやったことがある場合はアピールするとよいでしょう。

志望動機

なぜ入社を希望するのかを記載。「会社の〇〇部署で日本のコンテンツマーケティングをしたい」など事前に企業をリサーチし、具体的に動機を記載できると本気度が伝わりやすいでしょう。

性格の長所・短所

アピールできる自分の長所を記載。採用に決定的なデメリットと受け取られるような短所は避けて記載をします。「飽きっぽい」のが短所であれば「好奇心旺盛で常に新しい情報を収集しています」など、言い換えるのも手です。

入社後の抱負

入社したらどんなことで会社に貢献できるなどを記載。自分を採用した場合、会社にどんなメリットがあるかでもOK。日本の就活で求められていることと同じです。

書類は韓国語ネイティブに見てもらえるとベター！

履歴書、経歴証明書の書き方

▷ 履歴書は日本と同様

氏名・連絡先などの基本情報、学歴、職歴、活動歴、資格、語学能力（TOPIC、TOEICなど）を記載。基本的に日本の記載内容と同様です。

▷ 経歴証明書またはポートフォリオ

希望する職種に携わった経験(職歴やインターンなど)、具体的な施策、特に意識して取り組んだこと、その結果などを記載しましょう。また、PPTに力を入れる韓国なので、デザイン系以外でも、ポートフォリオは提出必須な場合が多いです。

hash tag：#면접（面接）#자기소개（自己紹介）#지원동기（志望動機）

check：

企業の面接を受けてみよう！

4

実は大切なのは日本人らしさ！母国語能力と日本の理解度は強みです

韓国では日本ほどスーツや身だしなみについては厳しくありません。もちろん面接にはスーツで臨むのが礼儀ですが、日本のように白の襟付きシャツでないといけないという決まりはなく、白系のオフィスカジュアルなトップスにジャケットを着ている人もよく見かけました。それでも、できるだけきちんとした格好で臨むのが印象はよいでしょう。髪形に関しても、新卒面接は黒髪といった暗黙のルールもありません。いくつかの面接を経て、最終面接、内定をもらったら入社になります。

韓国で就職するなら、韓国語能力が一番大事なのでは？と思う方も多いと思いますが、実は韓国語レベルはそこまで大事ではありません。今はネイティブレベルの日本語が話せる韓国人がたくさんいます。会社側からすると、ビザの発行が必要でかつ韓国語能力が完璧でなく、いつか帰国してしまう可能性のある外国人より韓国人を採用したほうが得。それでも「日本人を採用したい!」と思わせるためには、日本語能力もしっかりしている+日本に対する知識や理解度がとても大事になってきます。日本語ネイティブスピーカーであること、日本についての理解度、これにプラス専門分野の業務経験があると就職がしやすいですね。

こりあゆ memo

企業への口コミは必読！

私は就活時にこのサイトを穴が開くくらい見ました（笑）。現在働いている人、辞めた人が口コミや企業への評価を残しており、面接を受けた人の感想も見られます。福利厚生がきちんとしていることをうたった会社が実際そうでもない…など、非常に参考になります。ただ、見るためにはレビューを書く、閲覧権を購入するなどハードルがあります。提携大学の場合は無料で見られるので確認してみてください。

リアルな口コミが超・参考になる！

JOBPLANET

www.jobplanet.co.kr/

面接のときの服装&態度は？

返答は明るく、丁寧にハキハキと。堂々とした姿は高感度高し！

●韓国の女性はおでこや輪郭は隠さない人がほとんど。下ろしている人もいますが、長い人はひとつにまとめて

●イマドキ韓国女性はナチュラルメイク。派手すぎるネイルやメイクは避けましょう

●女性のスーツはほとんどブラック、グレーなど。インナーはパステルや白など日本よりカラフル

●黒髪がマストといった暗黙のルールはなく、茶髪はOK。ただ金髪は見かけません！

●決まりはありませんが、男性のスーツの色はほとんどが黒か、黒に近い濃紺

●スーツのシワや汚れ、ヒゲや爪など清潔感があることが大切！

面接での基本的な礼儀は日本と似ています！

面接で何を聞かれる？

自己紹介と志望動機、専攻内容は、ほぼ聞かれるので会社に適したものを準備しておきましょう。ほか、企業名の由来、会社の目的、希望職種の内容など、会社研究も忘れずに！

自己紹介をしてください。

解答Point!

応募職務と自身の経験を関連づけて、2～3分で短く自分をアピールしよう。

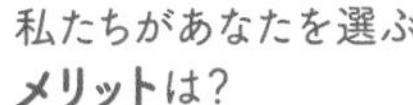

私たちがあなたを選ぶメリットは？

解答Point!

王道質問！ 会社で働くうえでどんな能力があり何の役割が担えるかを問われています。

インターンやアルバイトでの仕事の内容は？

解答Point!

韓国では新卒でも企業インターンなどを通した実務経験を特に重要視。即戦力になるのかが見られます。

韓国で働きたい理由は？

解答Point!

どれだけ固い意志と目的を持ち、働く意思があるのかが見られています！

最後に質問は？

解答Point!

日本と同様、最後に聞かれます。質問力に加え「会社研究の深さ」をアピール。条件面の質問はNG。

hash tag：#연봉제（年俸制）#복리후생（福利厚生）#워라밸（ワーク・ライフ・バランス）

check：ここが違う!?

5 韓国企業のキホンって？

韓国では基本的に正社員は年俸制です。そのため転職の際も年俸基準で協議します。勤務形態は会社や業界によっても全く違いますが、IT系の会社の場合「時間の融通」がきく会社が多いイメージです。特にスタートアップではフレックスタイム制を導入している会社が多いです。私が勤務している会社ではFlexというサービスで時間を管理しているのですが、8～11時の間に出社し、出社した時間から8時間働けばよいというシステム。そのうえ、残業した時間分はいつでも早く退勤してOKなんです。また休暇も半休だけでなく半半休という、2時間の休みも取れるので、通院や平日に用事があるときは助かります。韓国語で"밥 먹었어（ご飯食べた）?"が挨拶代わりに使われるお国柄だけあって、何と言っても「食事」がとても大事。お昼代は支給される会社が多いようです。今の会社では残業時に夜ご飯代も出ますし、前の会社では朝ご飯がランダムで支給されました。その代わり、日本では交通費が高い分交通費の支給があると思いますが、韓国はそこまで高くないからか交通費の支給はあまりないですね。

韓国は基本、年俸制のシステムです
時間の融通はわりとききます！

こりあゆ memo

NO残業！ PC OFF制度

長時間労働が多い韓国ですが、大企業を中心に残業を減らす試みがされています。導入が進んでいるのが「PC OFF制度」。退勤時間になると自動的にパソコンが切れる仕組みです。残業ナシはすごくよいのですが、"残業はしないが業務量は変わらず"なので、歩くのすら早歩きに（笑）。もともとパリパリ文化の韓国ですが、近年はさらにエスカレートしているかもしれません。

PCのショートカットキーを使わないと、非効率と怒られることも…

基本的な勤務形態について

現在の韓国では法定労働時間は、1日8時間、週40時間まで、週12時間までの延長労働も含め、「週52時間勤務制」となっています。長時間労働の問題を解消解消することで、働く人の「ワーク・ライフ・バランス」を実現させることを目的としています。

▷「始業時間」と「終業時間」は？

企業によって異なりますが、固定労働勤務制の会社では、午前8時半から午後7時まで仕事をし、昼休みを1時間～1時間半ほどはさみ、1日の勤務時間を8時間と設定しているところが一般的です。出勤時間がほぼ同時刻になるため、日本と同様、ラッシュアワーの地下鉄や道路はかなり混雑します。

ターミナル駅はもちろん、江南駅周辺の朝のラッシュはすごいことに

人気カフェでの朝活を楽しんでから出社することも

▷業界によっては「フレックスタイム制」を導入

IT系やスタートアップなどを中心に、韓国企業の多くがフレックスタイム制を導入しています。コアタイムを設ける企業もありますが、「何時に出勤してもよく、出勤時間に合わせて退勤できる」ような自由度の高いところも多いです。フレックスタイム制度と同時に「PC OFF制度」を導入している企業では、ほぼ残業がありません。

▷「残業」はどうなってる？

週52時間制度へ移行後、残業の制限は大企業ほど厳しくなっており、ほぼ定時の業務終了で、残業しても1～2時間という印象です。とはいえ、業務量は急には減らないもの。韓国人のスピード感についていくのもやっと…という日本人も多いと思いますが、業務処理スピードを上げざるをえないのが実情です。

業務の量は面接時などによく確認しておきましょう

給与事情はどうなってる？

OECD（経済協力開発機構）が公表する世界の月平均賃金データによると、全産業の平均は日本が2801ドル、韓国は3373ドル※。労働時間の長さなどもありますが、現在は韓国の月平均賃金は日本より高いのが実情。韓国の今の給与事情を確認しておきましょう。

※出典：総務省統計局『世界の統計2023』

▷基本の給料制度＆賃金は？

韓国は大企業の80%以上が、成果・能力主義による年俸制を導入しています。入社時で決めた年俸の12分の1が基本給となり、そこから税金や保険などが控除された額が毎月支給されるしくみです。また昇級は年に1度あり、だいたい3～5%といわれています。日本が3%前後なので、昇給率は少々高めです。

なお、韓国全体の平均月収は日本より高い水準なのですが、実際は男女差と企業格差が極端に大きくなっています。たとえば、右グラフからの算出によると、大企業の労働者の平均月収は547万Wで、中小企業の労働者の平均月収は265万Wと2倍以上の差があります。また、男女の賃金格差もOECD諸国中ワースト1位ともいわれます。

▽企業規模、年代別月平均賃金

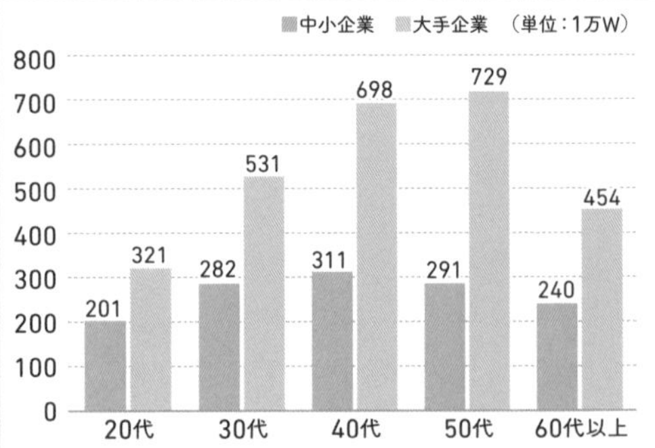

※韓国統計庁（2023年）

管理
保証
掃除

▷ボーナスは出る？

年2～3回、1カ月程度のインセンティブが支給されるのが一般的で、ボーナスといえるようなまとまった額が出るのは大手企業のみです。業界にもよりますが、だいたいは2万～5万円の手当と考えておきましょう。なお、年俸の金額には、インセンティブやボーナスは含まれていません。

memo

韓国的ワーク・ライフ・バランス

韓国ではここ数年で「ワーク・ライフ・バランス」を略した워라밸（ウォラベル）という言葉が流行しました。労働時間の長い韓国でも仕事とプライベートの配分を重視する若者が増加し、「残業が少ないか」「福利厚生が充実しているか」「スキルアップのための補助はあるか」といったことが、仕事や職業を選択する際に非常に重要な要素のひとつとして考えられるようになっています。

退勤後は自宅でのんびり映画やスポーツ鑑賞を楽しむ人も

韓国ならではの福利厚生

給料や勤務時間のほかに、福利厚生の充実度を意識する人が増えています。大企業に比べ、中小企業は待遇面で弱い面もありますが、その分、福利厚生に力を入れることで魅力ある企業も増えています。企業を探す際、福利厚生の充実度もチェックしておきましょう。

▷「食事」の補助は超手厚い

「ご飯食べた?」が挨拶のお国柄だけあって、食事に関する補助はかなり手厚いです。企業にもよりますが、社内食堂の昼食はたいてい無料か、昼食代は基本的に支給されます。ほか、朝食や残業時の食事、会食の飲み代なども会社がもつケースが多いようです。また、毎月自販機で食べ物が買えるポイントが支給され、ポイントで購入することも。食には困りません!

以前勤めていた会社は朝ご飯でキンパやサンドイッチを支給。前日にどの味のキンパがいいか申請して、朝受け取るシステム!

今の会社では、支給されるチーム費でおいしいものを食べられます♡

ちょっと病院に…という使い方もできる半半休

▷半休制度と有給休暇

1年以上勤続の労働者が、80%以上出勤した場合は15日の「有給休暇」が与えられます。ほか、午後や午前だけ休む「半休(반차/パンチャ)」、さらに2時間だけ休む「半半休(반반차/パンパンチャ)」などもあり、ちょっとした外出にも使えるようになっています。

社内に卓球台を備えた会社も

入社祝いをもらいました♡

▷その他の福利厚生

社員がキャリアパスを築くための「自己啓発や教育支援の費用(英語学校の授業料やMBA奨学金など)」、「家族支援(手当や学業補助)」、「健康維持のための費用(スポーツクラブ会費など)」は、多くの企業で見られる福利厚生です。入社祝いをプレゼントしたり、社内にレジャー施設を置いたりも。ホテルなどの提携がある企業も多いです。

hash tag : #스타트업（スタートアップ） #콘텐츠 마케팅（コンテンツマーケティング）

check :

私の働く会社ルポ

～IT系スタートアップでのコンテンツマーケティング～

6

韓国IT×スタートアップでのマルチな業務は忙しいけど楽しい！

私は現在、IT系企業で韓国サービスの日本向けマーケティングに従事しています。おもにウェブサイトや公式サービスのコンテンツ、広告、ブランディング動画などのクリエーティブの企画を担当し、「コンテンツマーケティング」の成果に寄与するお仕事です。会社では、日本のマーケティングエージェントと連携しつつ、ほとんどのコンテンツの企画を担当しており、社内のデザイナーやプログラマーと協力しながら業務を進めています。日常的に日本語と韓国語を使い分けることがあり、時には混同することもあります（笑）。スタートアップでは、1人が多岐にわたる仕事を担当することが一般的です。私は経験を持つキャリア職として入社したため、外国人でも最初からコンテンツ全体の責任を負うポジションでした。マーケティングの知識だけでなく、アイデアや企画力、キャッチコピーなどの文章力が求められるため、これまで15年間ブログやYouTubeなどでコンテンツを制作してきた経験を生かせる職だと思います。仕事自体は適性を感じているのですが、もう少し他方面でも仕事がしてみたいなとも思っている昨今です。

こりあゆ memo

あなたの「MBTI」はなんですか？

日本でも最近浸透してきた性格診断「MBTI」ですが、韓国の若者の間では超定番。ほとんどの人はネット上で性格診断をしていて、血液型のように自分のMBTIを把握しています。人と会ったとき、自己紹介のひとつとしてMBTIを伝え合うのはほぼマスト。会社の雑談や会議の合間などにも聞かれるので、事前にチェックしておくといいですよ!

私はINFJ! 感受性豊かでクリエーティブに向いているみたいです

休み時間にゲーム? 意外にも勝負のあとは仕事に集中できるんです!

韓国のIT系スタートアップで働く こりあゆの1日ルポ!

今、働いているIT系スタートアップではマーケティング部門を担当しています。
コンテンツ制作は大変ですが、好きなことをしている充実感と、
周囲の仲間にも恵まれて、笑いの絶えない会社員生活です!

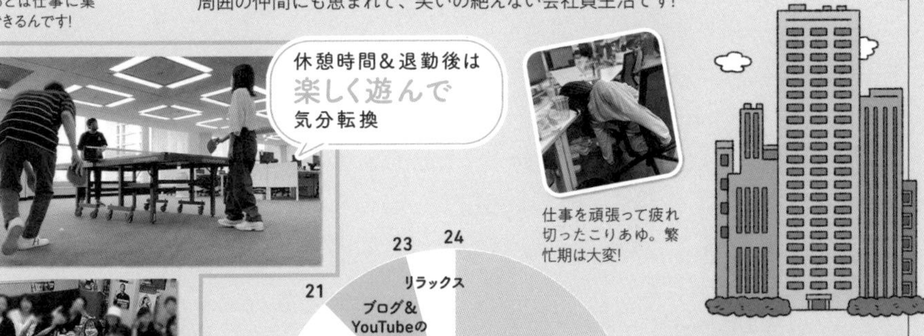

休憩時間&退勤後は楽しく遊んで気分転換

仕事を頑張って疲れ切ったこりあゆ。繁忙期は大変!

勤務中の休憩時間には、同僚と卓球やボードゲームをすることも。また、退勤後の飲み会も含め、社内コミュニケーションは活発! 社内の風通しはかなりよいです

24 睡眠
8 準備
9 出勤
10 ●カレンダー&メールチェック ●チーム全体MTG
13
14 ●マーケティングデータ整理 ●企画書作成
16
16:30 ●デザイン試案チェック ●エンジニアとMTG
19 友人と夕食&お買い物
21 ブログ&YouTubeの編集
23 リラックス

目標達成したときはご馳走も登場!

食事の時間はとても大切!

韓国人にとって食事の重要度は高く、昼食抜きなんて有り得ない! 今の会社では社食がないので基本的には外でのランチですが、会社から支給されるチーム費でおいしいものを食べることも!

日本語がとても上手な同僚との雑談も毎日の楽しみ

チーム全員がとても仲良しなので、仕事もスムーズに行うことができるうえ、常にコミュニケーションをとっているので今の業務の進行状況も逃さずチェックできています。

営業のMさん、CS業務のKさん

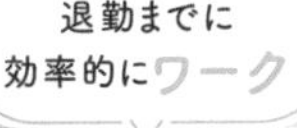

退勤までに効率的にワーク

データ分析から、リソース確保まで人と話すことが欠かせません!

私のポジションでは、所属チームだけでなく、デザインチームやエンジニア、データチームとの協業が不可欠。企画物の結果を数値化し報告書にまとめ、新たなマーケティング施策のための説得をしつつ、他チームに協力を要請します。たくさんの人と関わって仕事をするのは楽しいですが、リソース確保のための説得をするのに必死です(笑)。

area | home | study | work | life

hash tag : #일（仕事） #우리（私たち）

7

check : スピード命？ 団体行動？

韓国の仕事文化を知る

韓国の特徴的なこととして、「ウリ（우리）文化」というものがあります。日本語で直訳すると「私たち」という意味ですが、韓国人は家族や友人など絆の深い関係性をウリと表現し、内と外の区別を明確にする傾向にあります。会社の人間関係に溶け込むなかで、私も少しずつ「ウリ」の一員になってきたなと感じています。うれしい一方で、“親しき仲には遠慮なし”となるのも韓国人。会社では本音ベースで意見をぶつけ合うのが当たり前で、感情的なやりとりも目にすることがあります。場の調和を優先する日本文化に慣れている人は驚くかもしれません! また、「パリパリ（빨리빨리）文化」の洗礼も強烈でした。とにかく“スピード感と生産性”は、今の韓国会社を象徴する最重要キーワード。PCのショートカットキーは使いこなせないと冷たい目で見られます（笑）。

多様なビジネス文化が交差する個性強めの韓国社会を生き抜くべし!

仕事をすすめるうちに、お酒の席や目上の人とのやりとりも増えていきますが、随所に「儒教文化」の影響も感じられると思います。周囲の先輩や同僚に助けを借りつつ、ヌンチをきかせて、仕事文化を把握していきましょう!

こりあゆ memo

「ヌンチがある」とは？

눈치（ヌンチ）とは、“他人の気持ち、あるいはその場の状況によってセンスよく行動する”という意味で、日本でいう「空気を読む」「気がきく」「勘がいい」といった能力のこと。もし「ヌンチガイッソ!（ヌンチがある）」と言われたら、かなりの褒め言葉です。上司と部下、年齢の差、ウリと他人など、とにかく気を使う関係性が多い韓国。周囲の状況を把握する「ヌンチ力」は、会社を渡り歩くうえでベースとなる大切なスキルです。

状況に応じててきぱきとこなし素早く行動すれば、会社でのヌンチ力は満点!

韓国式ビジネススタイルを知る

▷レスポンスの早さが命

韓国のパリパリ文化はここでも。チャットやメールのレスポンスは早さが命! 私の会社ではチャットツールにSlackを使っていますが、スレッドを読んだら「まず読んだしるし」として絵文字からつける! そして具体的な返事はできるだけ早くスレッドにコメントをするのが暗黙のルールです。日本のように「お世話になっております」「立て続けに失礼いたします」というような挨拶がない分、スピーディにまず本題の返事から早くする! というのが韓国式です(笑)。

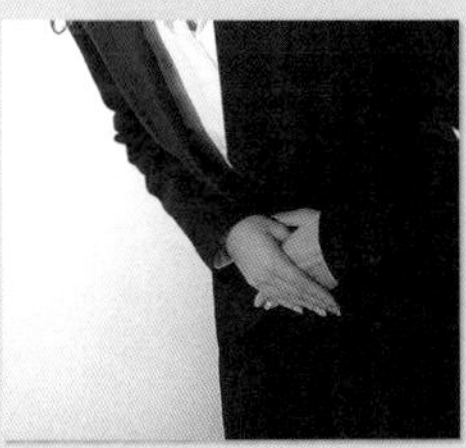

日常生活でのミスは日本のようには謝らない! 働いているうちに慣れていきます(笑)

▷日本ほど謝らない

韓国で働いていて最初に驚いたのが、日本では小さなことでも「大変失礼いたしました!」「ご迷惑おかけし大変申し訳ございません」「すみません、対応します」などという言葉を添えますが、韓国では大きなことでもない限り、そこまで謝る言葉を使いません。「これ間違っているので修正してください」と言えば、「修正しました」とだけ返信が(笑)。
社会人1年目のときに韓国人の社員に聞いたところ、低姿勢になりすぎるとずっとそういう扱いを受けるし、そこまで謝らなくてもいいんじゃない、とのこと。今では韓国スタイルが私はとても気が楽なのですが、日本で働いたことのある方は最初やや驚くかもしれません。

▷対人コミュニケーションは濃い

ランチを一緒に取ったり、夜の飲み会があったり、またワークショップと称した旅行などもあり、韓国の会社は日本と比べコミュニケーションの機会は多いように思います。まだ会社になじんでいない頃は、相手に合わせて心身ともに疲弊した時期があります。それからは、あくまで会社と割り切り、「余計な人間関係を作らない」「仲良くなってもラインは守る」といった心持ちでいます。自分のキャラがぶれないと、仕事をするときも自分だけが合わせることをしなくて済みますし、対人関係でも自然と合う人とだけ仲良くなれるようになりました。

空き時間にカードゲームを! 夜は会社での飲み会もあり社内コミュニケーションは盛ん

area — home — study — work — life

韓国のビジネスマナーをマスターする

▷挨拶のマナー（おじぎ、握手）

仕事をする際の挨拶は、おじぎか握手です。立場の低い人間から先におじぎをし、目上の人から求められたら握手をする流れが一般的です。韓国式の握手としては、軽く握り、握手をしていない側の手は、反対のひじか胸のあたりに添えます。しかし、海外との仕事を多くする企業では、欧米式のように「手を添えず、片手でかたく握る」と指導する会社も増えているようです。

▷名刺交換のマナー

韓国でも初対面の人とは名刺の交換をします。名刺は両手で渡し、両手で受け取ります。名刺を受け取ったら、韓国語の読み方を確認し、役職が上の場合は敬語を使うなどの対応をしましょう。なお、韓国ではお酒を注ぐときや書類を渡すときなど、何かを手渡すときは常に両手です。「片手で渡す」ことはほぼありません。

名刺文化は日本とほぼ同じ

▷上下関係のマナー

初対面の相手に年齢を聞かれることがあります。これは、儒教の「長幼の序」に由来するもので、年齢が上の人には敬語を使ったり、態度を変えたりするのがマナーだからです。日本では、外部の人に対しては、会社の上司であっても敬称をつけませんが、韓国では敬称＆敬語を使って話します。

こりあゆ memo

年長者ファーストは健在!?

「韓国は儒教文化で年長者を大切にする」のは有名な話。実際、改まった会食では、席に着くのも食べるのも年長者からで、電車でも席を譲るのは当然。ですが、ここ数年でその慣習がゆるくなってきたかな…と感じています。先輩なら絶対敬語と言われていましたが、今は割とフランク。会社の雰囲気にもよりますが、先輩でも同世代なら友人のようなやりとりも多いです。

隣の同僚・ギョンスクさんとは常に笑いが耐えません（笑）

▷呼び名のマナー

会社によって異なりますが、役職のある場合は「役職＋様（님／ニム）」をつけて呼ぶのが一般的です（대리님／テリニム・代理様、이사님／イサニム・理事様など）。私の前の会社では、上下関係をなくすため英語名で呼ぶという文化があり、代表含め全員英語名で呼び捨てという決まりがありました（私の場合はAyumi）。今の勤務先でも同じ理由で、どの役職でも下の名前＋ニムをつけて呼ぶという決まりがあり、代表の名前も下の名前＋ニムで呼んでいます。

上司を外部に
紹介するときも
「ニム」はつけます
朴課長
님ニム
様

私は「아유미님アユミニム」と呼ばれます！

▷会食のマナー

上座
1
2
3
4
5
6
7
下座
入口

末席。新人なら入口近くの席で雑務に対応！

接待や食事会など、会食が多い韓国。ビジネスにおいて会食はもっとも重要な席になります。上座下座のマナーは日本と同様で、「一番奥の席が上座、入口に近いほうが下座」となります。また、食事や飲み物は「目上の人が口をつけてから食べ始める」のがマナーです。日本と異なるのが、「年配者より先に席を立つのはNG」という点。日本だと年長者が立つ前にさっと立つ場面が多いですがこれはマナー違反。あくまで年長者ファーストです！

ただ、最近は多くの会社が若者世代を考慮する雰囲気にあるので、上下に気を遣い過ぎない、自由な会社も増えています。

会議室の席次も同じ考え方です

▷お酒のマナー

お酒を飲むとき、さっと顔を横に向ける…こんなシーンは韓国ドラマでもよく見かけますよね。韓国では目上の人や年上の人と一緒にお酒を飲むときは、「横を向き、口元を隠して飲む」のがマナーです。ただ最近は、先輩や上司くらいの年齢差ではやらない人も多く、自分の両親ほどの年齢の方と飲む場合は心がけておくくらいでよいでしょう。またお酒のグラスが空いていないのに注ぐのはNGです。

目上の人の前では
口元を隠します

杯を注ぐのも受けるのも両手で！

area ｜ home ｜ study ｜ work ｜ life

hash tag : #취업비자（就労ビザ） #거주비자（居住ビザ）

8

check : 避けては通れない…

就労ビザをどうする？

"就労ビザ" 取得を考えている人は早めに条件をチェックしておこう！

「韓国で働きたい!」と考えたときに、いちばん重要かつ、難しいのが、"ビザの問題"かなと思います。私が韓国で正社員として就職をした際に、会社から発給してもらったビザは「E-7（特定活動）ビザ」でした。しかし、会社を退職してしまうとビザが失効してしまうので、滞在はもちろん、転職や退職がしにくいというデメリットがあります。「転職もでき、フリーランスでも働けるビザがないか…」と考えていたときに知ったのが「F-2ビザ（居住ビザ）」。これは永住権に限りなく近いビザで、韓国に暮らす外国人が、少ない制限で学業や就業が可能で、自由に韓国に住むことができるビザになります。申請条件や種類がいろいろあるうえ条件を満たすのはかなり難しく、最大5年まで延長可能ですが1年しかもらえない場合もあったり…と、とにかく複雑です。また、近年、韓国で働くことを希望する外国人が多く、私が「F-2ビザ」を取得した後すぐに"就労系ビザの取得ハードルが上がる"というニュースが流れました。タイミングが少しずれていたら取得が難しかったかもしれません。ビザ切り替えを考えている人は、早めの準備をおすすめします!

こりあゆ memo

日本の大学に通う学生が新卒で韓国就職するには

「日本の大学を出た日本人で、新卒だけど韓国で正社員になりたい…」という人も少なからずいると思います。特別条件（世界大学ランキングの上位校の学士など）がない限り、新卒で一般的な就業ビザ「E-7」を発給してもらっての就職は難しいと聞いています。日本で最低1年以上、専攻分野の仕事をして経験を積めば、「E-7ビザ」発行の対象になる可能性もあります。

就職にまつわるビザについてまとめ解説！

今回はこりあゆが経験した就業関係のビザについて解説します。ほかにもビザの種類は多く、日本企業が韓国へ進出する際や、日本人が韓国で起業する際に取得する就労ビザなどもあります。

▷大学卒業後に便利な「D-10（就職活動）ビザ」

大学生のうちは「D-2(学生) ビザ」で就職活動でき、卒業後はこの「D-10（就活）ビザ」で、就職活動をしながらインターンなどができます。就活のなかで、「E-7ビザ」を発行してくれる企業を探すのが一般的です。

▷最も一般的な就労ビザ「E-7（特定活動）」

「E-7ビザ」は就労ビザのなかで代表的なものです。企業内でマーケティング、営業、広報など特殊な技術職以外の業務を担当する場合はこのビザが該当します。しかし基本的にはすでに業務経験のある人が対象で、日本で関連業務経験が1年以上ある必要があります。たまたま私は"現地の大学卒業で関連のある大学専攻"という点で特別対象者となり、ビザの発行条件に当てはまった…というわけです。

※「E-2（日本語教師）ビザ」
「E-6（アーティスト）ビザ」の詳細は P.162

申請書類（こりあゆの場合）

- ●申請書
- ●パスポート（コピー本）
- ●外国人登録証（原本）
- ●証明写真
- ●卒業証明書（原本）
- ●家の契約書

※ほか、会社に準備してもらう書類が複数あります。また、日本の経歴でビザ発行条件に当てはまった方は経歴証明書なども必要と聞いています

▷韓国滞在の自由度を上げるなら「F-2（居住）ビザ」！

ひと言でF-2ビザといっても、さらに種類が分かれているのですが、私が取得したのは「F-2-7」。点数制に基づく優秀人材というものです。

申請の基本条件

指定の点数表に沿って年俸や韓国滞在年数、韓国での学業歴、TOPIK、ボランティア経験などを計算し、80点以上であれば申請可能。

取得できる年数

点数表の点数や年俸など、さまざまな部分が考慮されて年数が決まります。数カ月、基本1年、最長で5年と人によって差があります。

申請書類について

元々有しているビザの種類でも変わるため、必ず事前に「ハイコリア」で確認しましょう。就労ビザは追加書類を求められることが多いため、記載されてない書類も念のため用意しましょう。

申請書類（こりあゆの場合）

- ●申請書
- ●パスポート
- ●外国人登録証
- ●証明写真（パスポート用）
- ●卒業証明書（大学、語学堂を用意）
- ●TOPIK成績証明書
- ●社会統合プログラム修了証書
- ●家の契約書
- ●手数料
- ●点数表
（ハイコリアから出力した点数表に点数を入れて持参）

※ほか、会社に年俸契約書や雇用契約書など5～6点の書類を用意してもらいます。

area | home | study | work | life

CHAPTER

5

LIFE

ソウルの日常を楽しむ

ソウレソエ　イルサンウル　チュルギダ
서울에서의 일상을 즐기다

韓国にもソロ活文化が定着し、食事も遊びも1人で気ままに楽しめるように。変化の早いソウルの日常を楽しんでいます！

短期滞在だけではわからない、住んだからわかるソウル移住の魅力！
韓国人のパーソナリティから、文化や食事、恋愛…etc.日本と似ているようで、知れば知るほど小さなところで文化の違いが見えてくるのが面白くて、長年住んでいても、飽きることがありません。
韓国は目まぐるしい速さで成長し、変化を遂げています。13年間、いろいろな変化を肌で感じてきましたが、ここ数年で1人文化が定着し、日本人が住みやすい環境になってきたなと思います。
特にデジタル化が進んでいる韓国では、今やもうカフェの注文や、ペダル（配達）などで会話する必要がないので、韓国語が話せない外国人でも安心できるようになりました。そして、もう1人で外食をしても、昔のように驚かれるようなこともありません。
1人暮らしといえば、私のように料理ができない人（笑）向けに、おうちで簡単に食べられるおいしいチンご飯やミールキットも本当にたくさんあります。私のお気に入りを本章では紹介します。
“変化”という意味では、ここ数年でかなり物価が上がってしまったことで、以前のように短距離でもタクシー移動したり、外食をしまくったり…ということは難しくなってしまいました。
それでも、日本とは比べ物にならないほどコスパのよい美容施術を受けたり、韓国ならではの退勤後のライフスタイルを楽しみながら、毎日充実した生活を送っています。

ふとした日常のなかにこそ、韓国のリアルが詰まっています。
笑って、悩んで、戸惑って。それでもめちゃ楽しいのがソウルなんです！

ソウルの日常を楽しむ KEYWORD 서울에서의 일상을 즐기다

考え方からキャラクターまで、10年以上住むと"K化"が進む(笑)！

日本人と外見は見分けがつかないほどなのに、文化や考え方、国民性は思いのほか違うのが韓国の面白いところ。私も日常生活で日韓のさまざまな違いに驚き、韓国女子の美意識の高さに感動し、おごり文化に違和感を覚え、パリパリ文化に疲弊して…。そんな10年以上を過ごすうちに、韓国スタイルのほうが自然に。この現象を私たち在住者の間では"K化が進む"と呼んでいます(笑)。

우리ゾーン
なんでもOK

"ウリ"に入れば何でもOK！

距離感が近い韓国人の特徴

「私たち」を意味する우리（ウリ）は、韓国人の親近感そのもの。ウリチング（友人）ともなれば、なれなれしいほどに距離が近くなります。

日本的な曖昧さはNG！スピードの速さに慣れるべし。急げ急げのパリパリ文化

慎重に考える日本人に比べ、韓国人は"スピードが命"の人が多いです。せっかちとも言えるパリパリ精神は韓国人共通に宿るマインドで、慣れれば日本のスピードが遅く感じるかも！

イイネ！
買う！

고마워요
(ありがとう)
HAPPY BIRTHDAY
HAPPY BIRTHDAY!

おごりおごられマネーは回る。 ▷▷P.132

韓国人のおごり事情

韓国ではよいことがあった人がおごるのが習慣。祝ってくれた友人に感謝の気持ちを込めて、本人がご飯をおごったりします。

江南の平均ランチ費用1万2000W！

※PAYCOモバイル食券サービス調査（2022年）

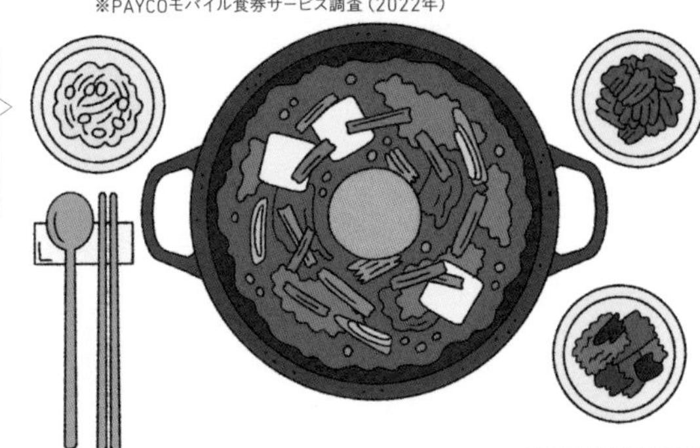

韓国は物価が安くない！

物価感覚をリセットしておこう

▷▷ P.128

「韓国＝安い」は過去の話。今は日本と物価はほぼ変わらず、レートを踏まえるとむしろ韓国のほうが物価高。特に食材は高めで自炊のほうが高くつく場合も…。

ペダルにレンチンご飯、ミールキット…etc.留学生の味方の

韓国メシ

▷▷ P.134

公園にも届けてくれるペダル（配達）や食材がそろったミールキットなど、お手軽な外食&自炊が多彩です。

ニキビひとつで病院へゆく、とにかくすごい

美の意識。

せっかくだからしっかり学ぼう ▷▷ P.142

韓国女子にとって美容クリニックは肌トラブルの駆け込み寺。ニキビや軽いシミなど、すぐに病院へ。レーザー治療も日常的に受けています。

韓国では屋台でもクレジットカードが使え、逆に現金が使えない飲食店があるほど。キャッシュレスが進んでいるため、電子決済に慣れておきましょう。

世界屈指の

キャッシュレス大国。

クレカに電子マネーなど、電子決済の準備をお忘れなく

▷▷ P.128

スピード感のある韓国生活だからガス欠も当たり前。セルフケアの方法や体調を崩した際の頼れる病院などを事前に調べておきましょう。

1人生活で不安になるのも当然です。無理をしないで頼ってしまおう

▷▷ P.152

area | home | study | work | life

hash tag : #신용카드（信用カード／クレジットカード） #수수료（手数料） #현금（現金）

check :

生活費、もう意外と安くないんです…

韓国は物価が安いと思っている人は注意！
今や日本と同等、それ以上かも…

13年前に比べ、物価がとても上がっているソウル。私が韓国に来た2012年は「物価が安い国」として旅行雑誌でも安さをうたったコメントが目立ったほどでした。当時のタクシーの初乗り料金は2400W（今は4800W※）、キンパッが2000W（今は3900～5500W※）。また、アルバイトの最低賃金は5000Wほどの時代でしたが、今やその倍の9860W※になっています。特に、いつも驚かされるのがパンや焼き菓子、ケーキ類の値段。以前に比べてぐんとクオリティが高くなったことは間違いないのですが、いずれも日本の倍ほどの値段で売られています。ケーキが1ピース7000Wは基本で、焼き菓子ですらフィナンシエが1つ3000Wはします。そして、最近、韓国では塩パンブームがきていますが、具のないシンプルな塩パンが1つ3000W！これだけ見てもわかるとおり、韓国はもう決して「物価が安い国」ではないんです…。ソウル留学や就職を考えている人は、その点をふまえて韓国の生活をイメージしておきましょう。

家計の味方のはずが。マートで見たモヤシ1袋は2700W（約300円）でした…

※2024年3月現在

こりあゆ memo

キャッシュレス社会に対応すべし！

韓国はクレジットカードや電子決済など、キャッシュレス決済率はほぼ100%。1000～2000Wの金額でもカードを使います。ただし「卸市場」は現金払いが喜ばれ、カードだと金額が高くなる場合があります。また日本の銀行系カードが使えないことも。国際ブランドのカードを複数持ち、韓国で普及している電子マネーを併用するなどして備えておきましょう。

市場でもクレジットカードが使えます

MZ世代※に調査！1人暮らしの平均費用とは？

20～30代の友人に1カ月にかかる1人暮らしの生活費を聞いてみました。公共料金や交通費の安さに助けられるものの、食費や交際費は上がっており、やりくりが大変です！

冬場は結構かかる！
常時オンドルを使う冬場は月4～5万W。まめに「外出モード」に切り替えるなど節約を。

季節によって異なる
エアコンを使う夏場は4～5万Wほどになることも。

20～30代の友人たちに物価について聞いてみました！

項目		費用（単位：ウォン）
光熱費・住居費（冬場）	住居費（管理費込）	600,000
	電気費用	5,000
	ガス費用	40,000
	水道費用	8,000
	交通・通信費	100,000
食費・交際費	食費（自炊分）	300,000
	交際費（外食費）	100,000
その他	被服費	30,000
	保険医療費	100,000
	教養・娯楽費	150,000
合計		1,433,000

スマホ費用はピンキリ
通信費は格安スマホを使うなら、月2～3万Wで抑えることも可能。

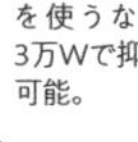

韓国はお誘いが多い
ランチやカフェ、飲み会など外食費が主。気を抜くとこの2～3倍はかかるかも…。

日本より食費は高め
日本と比べて食材が高いため、自炊派の場合でも1日1万Wは想定を。

遊びや学びも大切！
友人と遊んだり、自己研鑽のための学校に通ったりすることも考えておこう。

家賃や人件費など、インフラの高騰もあり、すべての物価が上がっています。

まとめ！

平均的な生活費は143万W前後！

思ったよりも食費が高くつくうえ、ランチ後のカフェ文化など意外と交際費の出費が。食費が高いため留学生は食事付きのアルバイトを選ぶのも手。ソウルの物価は上がっており、余裕をもつなら、月150万Wは想定しておくといいかも…。

※「ミレニアム世代」と「Z世代」を合わせてMZ世代といいます。

食費はどれくらいかかる？

High! 日本より高い　Low! 日本より安い

Same! 日本と同等

※韓国の費用はクーパン調べ。価格は1000W=110円で換算し、日本の価格と比較しました。

日本と同等の感覚ですが、乳製品や肉類は割高のイメージ。

牛乳
2970W
（1000mℓ）
High!
🇯🇵 約300円（1000mℓ）
日本より少々高め。「서울우유（ソウルウユ）」が有名ブランド。

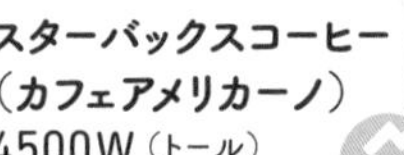

スターバックスコーヒー（カフェアメリカーノ）
4500W（トール）
High!
🇯🇵 約475円（トール）
韓国のほうが高めだが、日本よりメニューが多く楽しい！

ビール
2000W
（355mℓ）
Same!
🇯🇵 230円（350mℓ）
国産ビールはCASS、HITE、TERRAなどがメジャー。

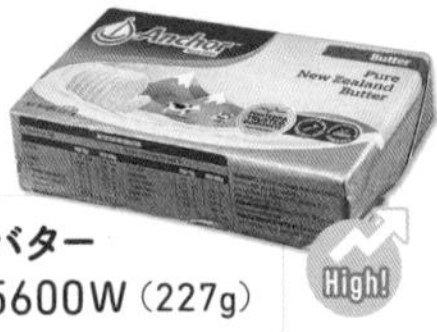

バター
5600W（227g）
High!
🇯🇵 約450円（200g）
韓国は乳製品が総じて割高で、バターは2割ほど高い。

ミネラルウォーター
950W（500mℓ）
Same!
🇯🇵 約110円（500mℓ）
韓国では「생수（センス）」ともいう。日本とほぼ同額。

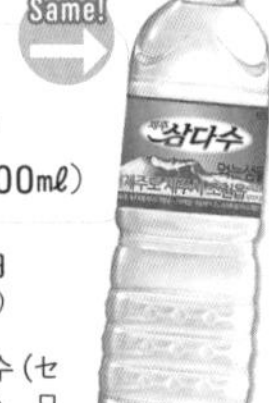

生マッコリ
1400W
（750mℓ）
Low!
🇯🇵 540円（750mℓ）
日韓の差が大きい食品のひとつ。生ならではの味を楽しんで。

米（国内産）
1万5000W
Low!
🇯🇵 2000円
国産上等米の金額。最高級といわれる利川米は2万8000W。

豚肉（サムギョプサル）
2万7000W（1kg）
High!
🇯🇵 約2000円（1kg）
肉類はかなり高い。焼肉に関しては外食するほうが安いかも…。

近年はパンも充実。ベーカリーで買うと食パンは4000Wくらい。

食パン
2750W（1斤）
High!
🇯🇵 200円（1斤）

鶏卵
4000W（10個）
High!
🇯🇵 300円（10個）
30個セットの販売が一般的で、10個入りだと割高に。

辛ラーメン
3900W（5袋）
🇯🇵 420円（3袋）
日本の発売品は3袋入りが定番。韓国のほうがかなりお得。
Low!

外食の場合

- キンパッ　3900〜5500W
- チゲ&ビビンパッ　9000〜2万W
- 冷麺　1万4000〜2万W
- サムギョプサル　1万8000〜2万W
- 参鶏湯　2万〜2万5000W

日用品&交通の費用を把握しておこう!

紙類は意外と高い韓国。一方、交通費は超良心的です!

ボックスティッシュ
1万5000W(6箱)

約500円
(5箱)

紙類は高く、日常的にはトイレットペーパーで代用したりする。

トイレットペーパー
2万W(30ロール)

約500円
(12ロール)

「1セット30ロール」が一般的で、日本の1.5倍ほど。

シャンプー
1万W(1.2ℓ)

800円
(1.2ℓ)

ブランドによってピンキリだが、日本とあまり変わらない価格。

生理用ナプキン
6000W(20個入)

約400円
(20個入)

オーガニックコットン製品など多く、金額は日本の1.5~2倍ほど。

韓国は大容量での販売ばかり。硬水なので柔軟剤もセットで使おう。

約400円
(880mℓ)

洗濯用洗剤(液体)
1万5000W(3ℓ)

歯磨き粉
5000W(1本)

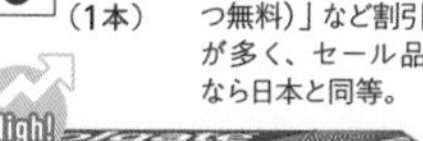
約300円
(1本)

「1+1(1つ買えば1つ無料)」など割引が多く、セール品なら日本と同等。

タクシー(初乗り)
4800W(ソウル)

500円
(都内)

韓国は1.6kmまで、日本は1.096kmまで初乗り料金。

バス(基本料金)
1500W(ソウル)

210円
(都内)

韓国は距離単位制を取るため、10km圏内は基本料金で行ける。

地下鉄(基本料金)
1500W(ソウル)

180円
(都内)

10km内は基本料金。20分ほどの乗車距離は基本料金でOK。

こりあゆ memo

現地の携帯電話を契約する

短期留学の場合、「プリペイドSIMカード」を購入し、日本のスマホを使う方法もあります。ただこの場合、ネットショッピングやカカオペイ(カカオトークのスマホ決済)などネット決済するための「本人認証」ができないため、長期滞在には不便。長期滞在を考えている人は、韓国の携帯電話を契約するほうがいいでしょう。「通話無制限、データ容量7GBほどのプラン」で5000円弱です。

携帯電話はライフライン。早めに契約をしておこう

hash tag : #한턱 쏘다(ハントッ ソダ)(ごちそうする) #정산(チョンサン)(精算) #더치페이(トチペイ)(割り勘)

check :

韓国ビックリマネー事情

～おごりおごられ経済は回る～

喜びは友人にも共有すべきもの！ おごり合いは絆を深める手段です

韓国には、"おごり合う"文化があります。食事のたびにおごり、おごられて循環しており、学生時代はこの「おごり文化」に慣れるのにかなり時間がかかりました。大学で後輩が先輩に「ご飯おごってください!」というのが挨拶レベルに当たり前なのを見てびっくり、友達同士でも何かあると「今日は私がご飯おごる!」と言っていて2度びっくり、とにかく韓国はご飯をおごりまくります(笑)。学生時代はおごりすぎてお金がなくなるのではないか…と本気で心配したものです。

韓国人は自分と無関係の他人には無関心すぎる部分があるのですが、一度親しくなるととことんまで尽くす傾向があるので、「自分に何かよい事があった」場合は親しい人と共有したいし、ご飯をおごってあげたいという思考になるのかな…と個人的に思っています。

今日は私がおごるね！

ただ、さすがに物を買ってあげることはあまりありません。「ご飯食べた?」が挨拶代わりということからもわかるように「ご飯を一緒に食べる」という行為が、韓国では人と人とをつなぐ大事な手段になっているようです。

こりあゆ memo

割り勘はカカオペイで

ほとんどの韓国人がモバイルバンキングを利用しており、最も普及しているのは「カカオペイ」。カカオペイは手数料無料(回数制限あり)で、スマホから簡単に送金できます。「送金ボタン」から「精算する」を押すと、割り勘するメンバーが選べます。支払い総額を入力すると1人分の金額が自動計算されるので、最後に「確認」を押したら割り勘終了です。

最近は仲のいい人同士は、ほとんど割り勘です！

独特な支払い事情

プレゼントに対する御礼として
おごる意味もあります

▷おごり文化について

おごる側には決まったルールはありませんが、一般的には「年上や先輩」「上下の関係がある場合は上司」が支払うことがよくあります。また、日本では誕生日の人が食事をおごってもらいますが、韓国では逆です！ 誕生日の主役が祝ってくれた人におごります。また、仕事で「就職やバイトが決まった、インターンが決まった」と報告すると、その本人がおごる側になります。つまり、「よいことがあった人がおごる」というのがひとつのパターンです。これは、「仲のよい人と喜びを分かち合いたい」という韓国のシェア文化が根本にあるかもしれません。

▷割り勘文化の今昔

韓国ではおごり合いが基本ですが、時代とともに変化しており、若い世代では「割り勘（=Dutch Pay）」にする場合も増えています。たとえば、①食後のカフェ代を持つ、②食べた分を各自が払う、③合計金額を人数で割ってカカオペイなどで送金する(左ページ)、といった方法が一般的です。恋人同士は「カップル通帳」を作ってデートのときはそこからお金を出すパターンも。おごることは韓国のコミュニケーションのひとつともなっており、なくなることはないと思いますが世代の意識の差によって変わっていきそうです。

会計時に割り勘の費用を計算する
自動精算機も増えています

▷クーポン＆ポイ活事情

韓国でもクーポン&ポイントを使った節約生活は普及しています。紹介した側・された側にポイントが付与される「友人紹介制度」、積み立てたポイントを支払いに充てられる制度などは各会社の定番サービスとなっています。また、100歩歩くたびにポイントが貯まる「Cashwalk」や、ゲーム内で育てた野菜や果物が送られてくる共同購入サイト「Always（올웨이즈）」など、ゲーム性のあるアプリも人気。物価高の韓国でおすすめです！

クーポンありのサービス

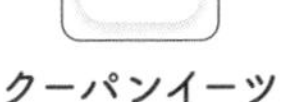

クーパンイーツ
www.coupangeats.com

マーケットカーリー
（→ P.139）

TVING
www.tving.com/onboarding

오늘의집
今日の家
ohou.se

area — home — study — work — life

hash tag: #밀키트(ミールキット) #집밥(おうちご飯) #요리(料理)

check: 韓国1人暮らしグルメ事情 ～自炊編～

料理は苦手だけど自炊したい人! ミールキットで〝おうちご飯〟を実現

学生のときは下宿に住んでいて学食があったうえ、外食をしたとしても当時は円高で、物価も安かった時代! 特に食べ物には困らなかったのですが、社会人になり、どんどん物価が上がり、コロナ禍での自粛も経験し…。「これは自炊しなければ!」と思うようになりました。

韓国にも「パンチャン(おかず)文化」はあるものの、日本のデパ地下のようにバラエティ豊富ではなく、"1人分を少しだけ、数百円で買える"という気の利いたところは少ないのが実情です。そこで活用しているのが通販。私は本当に料理ができないのですが、幸いなことに、最近はとてもおいしく調理できる「ミールキット」がたくさん販売されているので、おうちご飯は基本ミールキットで済ませています。コロナ禍以降、世界的にもミールキットがトレンドですが、韓国は「自炊信仰」が強くないことも影響し、"韓国ならでは"のメニューがどんどん登場。種類も多様化しています。韓国風のわかめスープが大好きなのですが、あのコクのある深～い味を出すのが意外と難しい。何度かトライしましたが、レトルトやミールキットには勝てないことに気づいてからは、ずっと頼っています(笑)。

パンチャンは買えるけれど…

こりあゆ memo

1人暮らしの自炊って意外に高いんです…

韓国のマートは価格が安いものの、その多くは家族向けの大容量。卵などは30個入りも売られており、1人暮らしではとても使いきれません。少人数向けになるほど割高になるため、思った以上に材料費がかかってしまいます。多少、割高感のあるミールキットやレトルトですが、食材をゼロからそろえるよりはオトクで美味。ワタシ的自炊生活には欠かせません。

材料を鍋で煮込むだけのオンシミカルグクス。ボリュームもすごい!

知っておきたいカンタン自炊のコツ！

▷ミールキット&レトルトを活用する

外食暮らしで、財布も胃もやられてしまった私が取った方法が通販「マーケットカーリー暮らし」。この通販の主力は毎日食べる野菜や果物、肉など生鮮食品ですが、なんといってもオリジナルのミールキットがかなり本格的で、味付けもしっかりプロの味。1つの料理の材料が1～2人前とパッケージになっていて、茹でるだけなどの簡単な調理で食べられます。ほか、パンやスコーン、弁当などもおいしいのでおすすめです！

牛肉テンジャンチゲのミールキット。こんな感じで届きます！

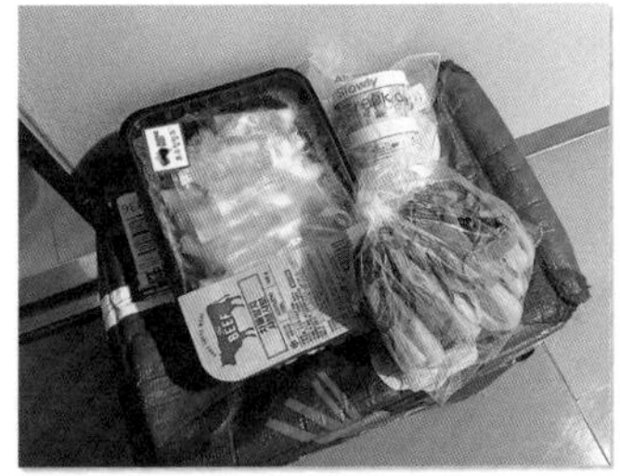

クーパンは梱包も素晴らしく丁寧なんです

▷通販で買うのが当たり前

通販に比べ、マートで買うほうが価格は安いことが多いのですが、持ち運びの大変さもあり、留学生や若い人はほぼ通販がメインに。2大通販といえば韓国のAmazonこと「クーパン」と、上記の「マーケットカーリー」。どちらも生鮮食品はもちろん、ミールキットやレトルトご飯、ヨーグルトなど、あらゆるものがそろいます。この2社のメリットは配送スピード。24時までに注文した商品はすべて次の日の朝までに配達されます！

▷韓国ラーメンのアレンジレシピが多彩！

「料理はしないがこれだけは作る」という人も多いインスタントラーメン。国民食でもあり、多様なアレンジレシピがあります。コンロひとつあれば作れるので、部屋にキッチンがない留学生でも作れるのがポイント。私は、麺もちもちの「パルド ビビン麺」に、キュウリやトマトなど生野菜をたっぷり入れて食べるのが気に入っています。

「パルド ビビン麺×プチトマト」で野菜を補給。麺を水で洗うともちもちに♡

「辛ラーメン×トック（餅）」でラポッキ。トックを先にゆで、水少なめで煮る

hash tag : #쿠팡이츠[クパンイツ]（クーパンイーツ） #배달[ペダル]（配達） #혼밥[ホンパッ]（ひとりご飯）

check :

韓国1人暮らしグルメ事情
～外食編～

1人暮らしの強い味方、"ペダル"は、もはや生活の一部です

友達同士でよく話すのが、「毎日家で食事がとれない1人暮らしは自炊のほうが高くつく」ということ。もちろんしっかりやりくりができればよいのですが、野菜も卵も肉もとても高い。特に韓国料理は量が多いので、1人分を作るよりみんなで外食をし、大きな鍋を囲んだほうが安い…なんてことも。

そして何より、アプリが普及してから「ペダル（配達）」の成長スピードが半端ない！　パリパリ文化のおかげで、どのサービスも「いかに早く配達するか」を競っています。韓国でおもに使われているペダルアプリは、"ペダルの民族"こと「ペミン」と、「クーパンイーツ」ですが、私はクーパンイーツ派。クーパン会員だとペダルの割引を受けられるうえ、少し配達の時間がかかるプランにすると配達費用も安く済むんです！　天気の悪い日は会社でペダルを頼んでシェアしたり、家に何もない時はぱぱっとペダルで頼んでしまいます。もちろん配達費がもったいないですが、いろんなお店がペダルに対応していて、サムギョプサルのペダルまでできてしまうので、1人暮らしには欠かせないツールなのです。

こりあゆ memo

韓国のランチ事情とは？

韓国では近年、"ランチフレーション"というワードが話題に。ご想像どおり「ランチ+インフレ」の造語で、昼食代の高騰を意味しています。江南駅周辺の平均ランチ費用は1万2000W※1ほどで、日本の全体平均（約580円※2）の倍以上！ 毎日ランチを外食すると3万円以上の出費になってしまいます。韓国のビジネスマンも弁当を買ったり、安い店の情報をシェアしあったりと、やりくりに工夫をしています。

※1：PAYCOモバイル食券サービス調査（2022年）　※2：Spicomi調査（2022年）

ランチの定番、冷麺も1万5000W前後になっています

外食するならこんな所!

▷どこでも即配達な"ペダル"が使える!

日本にもウーバーイーツが登場し、扱う料理の種類は増えましたが、それと比べものにならないくらい発達しているのが韓国のペダル文化。大きな違いは、配達場所を問わないこと。公園や広場、漢江の河川敷、海水浴場…等々、配達可能な場所ならほぼ届けてくれます。また、注文できない料理はないのでは…と思うくらいメニューも豊富。定番の韓国中華から、サムギョプサルまで、あらゆるものが配達されます。各社間で客の争奪戦も激しく、配達スピード・価格・サービスの競争が熾烈です。時には注文から10 ~ 15分で到着することも!

漢江へのペダルもOK! メニューはチャジャン麺、フライドチキンやポッサム、ピザなどが定番です

▷ペダルの民族 배달의 민족
1件につき3000Wの配達費がかかる。初回注文時1万Wのクーポン付き。 baemin.com/

▷クーパンイーツ Coupang eats
初回注文時は配達料が無料。Coupang会員は合計金額から割引もあり。 www.coupangeats.com/

無印良品のお弁当は1階奥のコーナーに。人気なので早めにチェック!

CUキンパッは3000Wほど。ツナや豚肉辛炒めなど3 ~ 4種あり

▷"弁当族"なら、コンビニ&無印良品へ

ランチの高騰にともない、弁当派も増えています。日本に比べ、フードの種類が少なかった韓国コンビニですが、最近は弁当、おにぎりやキンパッなどの軽食類も増えてきました。特にCUのキンパッはおいしいとネットでも話題。私はこれにシリアル入りヨーグルト「ビヨット(비요뜨)」をよく買います。江南にある無印良品のお弁当も大のオキニ。味付けもやさしくてサイズもちょうどいい! マーケットカーリー(→.139) も弁当が充実しており、夜注文して朝届いたお弁当を持って出社することもあります。

学生時代から通ったブンシク。メニューも多く、値段も手頃

▷"ホンパッ"食堂も増えてきた!

韓国の文化では、食事は「友人、知人とワイワイする」もの。焼肉や鍋などは2人前からという店もほとんどで、1人では注文できない料理もかなりありました。しかし、最近は「1人ご飯=ホンパッ」用に定食スタイルで提供してくれる店が増え、1人で食事がしやすくなってきました。おでんやトッポッキなど軽食がそろう「粉食(ブンシク)店」も、1人で外食しやすいスポット。値段も手頃なので留学生の外食におすすめです。

koreayu's love item koreayu's love it

こりあゆ's 초이에 オキニ マート編

ソウルの生活で必ず一度はお世話になるのがマート&通販。
配送してくれる気安さもあって、どちらかといえば通販を利用することが多いですが、
時々、マートを見て回ることも。私が利用するショップを紹介します!

黄色のパッケージも素敵

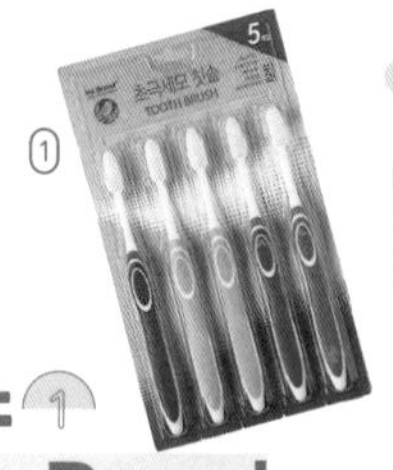

オキニ 1
No Brand
ノーブランド

大手スーパー「eMART」の自社ブランド。低価格だけどおいしく、さらにおしゃれなパッケージも好きな理由です。日本へのおみやげでは紫イモチップスが人気ですが、ケーキやスナック類もおすすめ。

①No Brandオリジナルの歯ブラシは1本約50円! ②1人分が入ったトッポッキ2980Wは常備しておきたい ③品切れも多い人気のチーズクリームケーキ9980W ④レンチンご飯独特のクセがなく美味

emart.ssg.com/specialStore/nobrand/main.ssg

コスパといえば
ここでしょう!

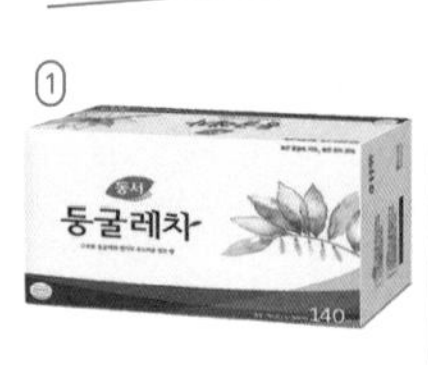

常備して
おきたい!

オキニ 2
ホームプラス
홈플러스
ホムプルロス

韓国の3大大型マートといえば、eMART、ロッテマート、そしてホームプラス。圧巻の品ぞろえで、コスパもグッド。自社商品「シグネチャー」は質もよく、お茶などドリンク類はおみやげにも喜ばれます。

①ほのかに甘みがあるドングレ茶1万3860W ②疲れたときに染みるホットチョコ4990W ③お店の味が自宅で楽しめるコムタン ④高級感がいいウェットティッシュ

front.homeplus.co.kr/

オキニ③

MarketKurly

マーケットカーリー

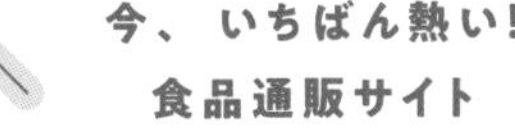

24時までに注文した商品は次の日の朝まで配達、カーリーオリジナル商品も豊富で新鮮でおいしい! 少々値段は張るものの日本の商品(ポン酢やそうめんなど)も扱っています。実は韓国は梱包がちょっと雑なのですが、ここは梱包もかなり丁寧で安心です。

www.kurly.com

今、いちばん熱い! 食品通販サイト

①ミールキットの「関西風すきやき」1万8900Wは味が濃く、日本と変わらないおいしさ! 締めの麺までキットに含む ②鍾路の有名店「Four Bベーグル」の商品も販売 ③ランチにぴったりな弁当も充実

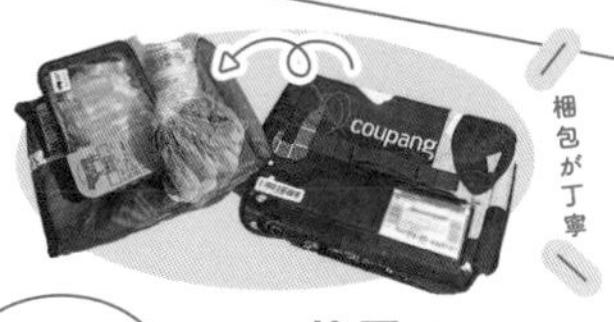

매일 두유
12.0g

韓国Amazonをめざす! 即配通販

オキニ④

Coupang

クーパン

①グリークヨーグルトは「Greek day」のものが絶対美味!
②玄米グラノーラ4840W。健康のためシリアルは玄米に
③卵2つ分のタンパク質が入っている豆乳。毎朝飲んでいます。1万7800W(24本)

コロナ禍で一気に普及したマルチショッピングサイト。夜24時までに注文すれば次の日の朝、それ以降に注文すれば次の日中(夜まで)に到着するスピード配送サービスがありがたい! 配送時はクーリングボックスで届き、当日から次の日に回収に来てくれます。

www.coupang.com/

koreayu's love item koreayu's love item

こりあゆ's 최애（オキニ） マート編

「自炊はしたいが料理は苦手。でもおいしいものが食べたい!」。そんな悩める30代女子を救ってくれるおいしいレンチンご飯&ミールキットを紹介します。外食に行けなかったコロナ禍にも活躍した、私の食卓のスタメンたちです。

じゅわっとジューシー

オキニ 1

プルムウォン

カルビマンドゥ Ⓐ

갈비 포자찜만두

会社にも常備されていてよく食べるマンドゥ。チンするだけで、肉汁がジューシーで、ニラとニンニクたっぷりのマンドゥが食べられちゃいます。マンドゥはラーメンと煮込んでも美味。

ちょこっと小腹がすいたときに

オキニ 2

ダシンショップ

玄米おにぎり Ⓐ

현미 주먹밥

カロリーを抑えつつ、手軽に食べられるご飯を探していて見つけたもの。いろんな味があるけれど、具にハムキムチが入っている味が一番おいしかったです。

キムチの酸味が食欲そそる!

オキニ 3

オルバン

キムチポックムパプ Ⓒ

올반 김치볶음밥

電子レンジでチン系のキムチポックムパプのなかで一番好きなのがこれ。しっかりとキムチの味がして、シャキシャキッとした食感がアクセントに。チーズとの相性も最高です!

＼ここで買えます!／

Shop List

Ⓐ クーパン P.139 Ⓑ マーケットカーリー P.139 Ⓒ ロッテオン www.lotteon.com

オキニ 4
サンバーン

カップバン Ⓐ キムチとびっこご飯

햇반 컵반 김치날치알밥

햇반（ヘッパン）はレトルトご飯のこと。チンするカップご飯系で一番好きなのがこれ。味付けがおいしくて、塩気もちょうどいい。ぺろりと食べられてしまいます。シリーズで20種以上の味があります！

オキニ 5
マーケットカーリー

牛肉テンジャンチゲ Ⓑ

소고기된장찌개

マーケットカーリーのミールキット。入っている具材、ソースをすべて鍋に入れるだけで超本格テンジャンチゲのでき上がり！ ズボラでもお店の味のチゲが作れるのでよく頼んでいます。

オキニ 6
ビビゴ

わかめスープ Ⓐ

소고기미역국

なんでもおいしいビビゴのレトルトですが、一番好きなのはわかめスープ。簡単そうに見えるけれど、自分で調理すると思ったより難しいもの。ビビゴのスープは完璧なおうちご飯の味！

わかめも
牛肉もたっぷり！
超オキニ♡

オキニ 7
ハナムデジチプ

ハンドンキムチチム Ⓑ

한돈 김치찜

キムチチムが丸ごと入っていて、解凍して温めるか、火にかけるだけで、お店で食べるようなキムチチムが食べられます。ボリューミーだし、何より国産豚肉がゴロゴロ入っているのがよい。シメにラーメンを入れるのもおすすめ。

hash tag : #몸(体)(モム) #건강(健康)(コンガン) #미용(美容)(ミヨン)

check : 韓国住みは見た

韓国人の自分磨きはこうだ!

体の中からキレイ! を実践する美肌に本気の韓国人たちに感動です!

韓国を訪れたことがある方なら、「韓国人の肌のキレイさ」に驚いたのではないでしょうか。透明感もさることながら、ニキビが1つでもできると「皮膚科へGo!」となる美意識の高さに、最初は私もびっくりしました。また、韓国人は歯に対する意識がとっても高め! 幼い頃から歯列矯正を受けることが当たり前なので、歯並びがとても整っています。そのため「日本人はどうして歯並びを治さないの?」と言われることもあるほど…。最近の韓国では、クアンク(꾸안꾸)メイクといわれる"すっぴんでもキレイだと思わせるナチュラルメイク"が主流です。自然でヘルシーな美しさをライフスタイルから追求していて、スポーツやフィットネスも人気。多くの男女が退社後にジム、ヨガやテニスなどのスクールにも通っています。ちなみに、ソウルの公園に行くと子どもの遊具以上に、大人向けの健康器具が設置されていて、アジョシ(おじさん)たちが運動をしています(笑)。老若男女を問わず体を動かし、元気に過ごすことが美しさの秘訣のひとつだと感じます。

コロナ以降から自転車もブーム!

こりあゆ memo

イマドキ韓国人の美しさって?

書籍『私は私のままで生きることにした』が、若者世代を中心に100万部を越え、韓国内では"価値観に重きをおいたライフスタイル"に関心が集中しています。流行した造語「가심비(カシムビ)」は、こころの満足度を満たすような消費をするという意味。メイクやファッションなども、"自分自身が好きで美しいと感じるもの"を大切にする人が増えたなと感じています。

フレグランスが人気の「NONFICTION」。ライフスタイルショップも増えてきました

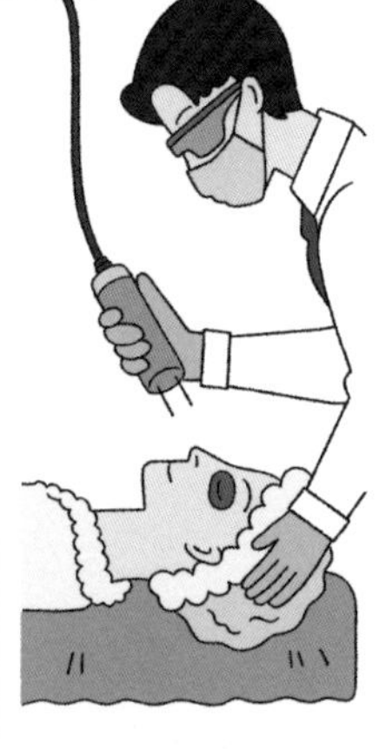

美容に本気！だから**クリニック**へ

▷"美容皮膚科"は男女から人気！

年々アンチエイジングや皮膚管理への関心が高まる韓国では、男女共に皮膚科にお世話になっている人多し。日本と比較すると、疾患系を診る皮膚科より圧倒的に美容皮膚科の数が多いだけあり、日本に比べ比較的安い費用で美容施術が受けられます。こりあゆのおすすめはリフティングレーザーの「オリジオ」と「ウルセラ」。まだたるみが少なく、小ジワや弾力が気になるという方は、比較的安く受けられて痛みもほぼないオリジオがよいでしょう。ややたるみが気になる方向けには、少し値段が張りますがウルセラが人気。こちらはトンカチで顔を殴られているような痛みですが、施術後は肌の弾力がプリップリ！

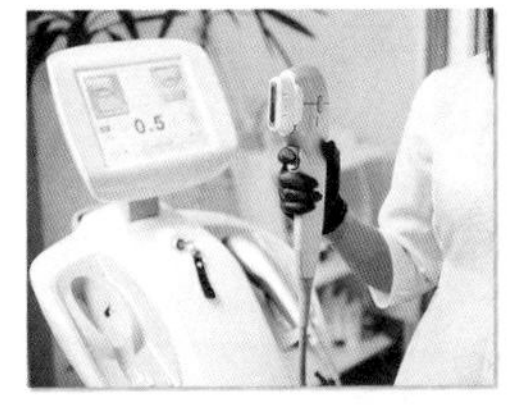

レーザーによるリフティングは効果が高く、韓国では一般的

▷美容はオトクだが、治療は高めの"歯医者"

韓国に住んでいて外国人登録証を持ち、国民健康保険（→P.153）に加入していれば、1年に1度スケーリング（歯石除去）が1万～2万Wと安価で受けられます！ 歯列矯正にかかる費用も日本の半分くらいと良心的な反面、虫歯だけは通常の国民健康保険適用外…。歯科用の保険に入っていないと、虫歯1本治すのに数十万Wかかります。留学予定の方は日本で歯科にかかってくることをおすすめします。

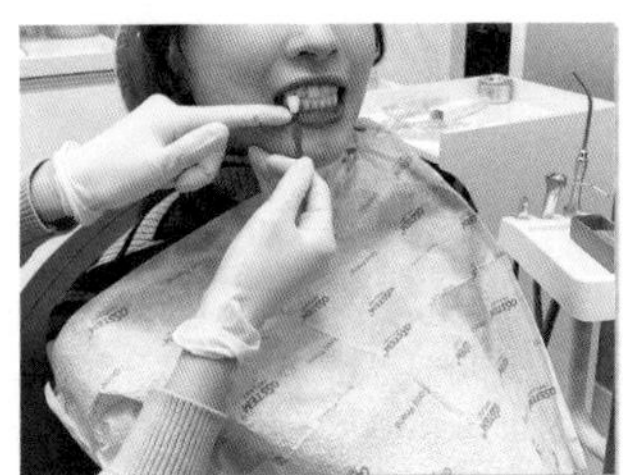

ホワイトニングをしているこりあゆです。歯って綺麗になると一番垢ぬける部分なのでおすすめ。割引なしの場合、1回15万Wほど

▷原因のわからない不調には"韓医院"

韓方といえば「ダイエット」が浮かぶと思いますが、ダイエット目的だけでなく原因不明の不調で訪れることが多い韓医院。お世話になったのは、パソコン仕事をしていて首や肩がやられたときの鍼&電気治療や、歪んだ腰の骨を調節してくれるチュナ（推拿）治療。ほか、胃腸不良だったときに韓方薬の処方をしてもらい飲んでみたら、体の芯から温まって。内側からよくなるのか、すぐに改善したのも不思議でした。味さえよければ飲み続けられるんですが、個人的に本当に苦手な味なんです（笑）。

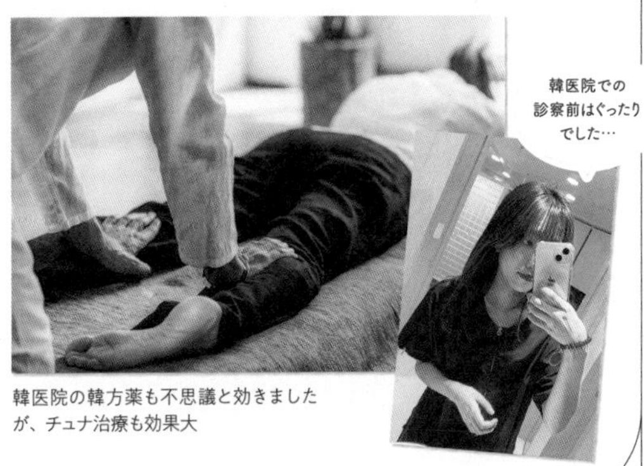

韓医院での
診察前はぐったり
でした…

韓医院の韓方薬も不思議と効きましたが、チュナ治療も効果大

運動でキレイになるのが韓国流

▷大人気の“ジム・ピラティス”

韓国語でいう「ヘルスジャン(スポーツジム)」は男女共に大人気で、特に朝や退勤後の時間は社会人であふれかえっています。ジム料金は大体3カ月で15万Wほどと高くはありませんが、追加料金を払ってパーソナルトレーニングを受ける「PT」はダイエットや本気で体をつくりたい韓国男女から人気。ジムでのトレーニングだけでなくカカオトークでトレーナーと食べたものまで共有したりします。
ここ数年で女子人気が上がってきたのはピラティスやヨガ! こちらは日本同様、トレーナーとのマンツーマンだと、1レッスンにつき6～7万Wするので少しお高めですが、自分磨きには欠かせない運動とされています。

江南駅はじめ、ビジネス街周辺には大小さまざまなジムがあります

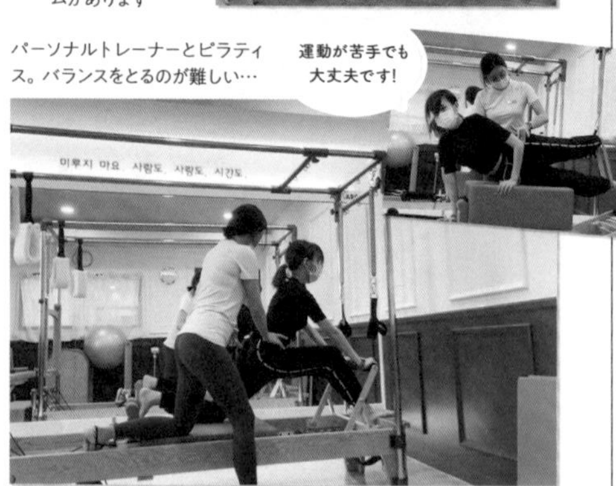
運動が苦手でも
大丈夫です!

パーソナルトレーナーとピラティス。バランスをとるのが難しい…

日本でもカリスマトレーナーAYAさんが実践してるアレです! かなりハードなので手が出せずにいます…

▷上級者向けの“クロスフィット”

ジムの上級者には、楽しみながら難易度の高い運動ができるクロスフィットも注目されています。歩く、走る、跳ぶなど日常生活の動作をベースにトレーニングするもので、生活する動作自体が楽になる、というもの。特定の部位に筋肉を付けるのではなく、全体的な美ボディづくりに役立つため、若い男女から人気があります。

こりあゆ

memo

ゴルフ・テニス・クライミングが人気

20～30代の若者に人気が高いスポーツはこの3つ! 退勤後にボーリングに行くようなノリでスクリーンゴルフを打ちに行く人や、テニススクールに通う人も多く、大人数でクライミングに、なんていうのもよく聞きます。今の会社にもクライミングのサークルがあるくらい。私はサークルでクライミングもやり、テニスも習いましたが、結局、今は寝ながら受けられるストレッチ塾に落ち着いています(笑)。

自分で登る感じが
気持ちいい!

スクリーンゴルフも人気です

こりあゆ's 최애(オキニ) コスメ編

韓国美容といえば、やはりコスメですよね。私も大好きなのですが、肌が弱いこともあって、何でも使えるわけではありません。気に入ったものだけを使い倒すのがこりあゆ流。どれも「オリーブヤング」で購入できますので、チェックしてみてください!

オキニ 1
「Dr.Jart+」のパック
(Dermask Micro Jet Clearing Solution)

肌の調子が悪かったり、乾燥したりしている時におすすめ。鎮静効果が半端なく、次の日には不調がなかったことに…。5年以上愛用しています。

オキニ 2
「CNP Laboratory」の鼻パック
(Anti-Pore Black head Clear Kit)

1つめのパックで角質をふやかし、綿棒で汚れを取ってから、2つめのパックをします。週1必須のアイテムです!

オキニ 3
「OLIVEYOUNG」のニキビパッチ
(Care Plus)

ニキビができそう…という部位に、抗生剤を塗ってから、このニキビパッチをつけるとほぼ2～3日で治っちゃいます。

オキニ 4
「Abib」のシートマスク

ほかのどのアイテムより肌にぴったり密着する、薄いシートマスク。保湿効果が高いうえ、アトピー肌の私でも荒れないほど、やさしいのがうれしい!

オキニ 5
「CLIO」のペンシルライナー
(#02 BROWN)

ペンシル愛用派として長年、多くのアイテムを使ってきましたが描きやすく、落ちにくい名品です。

hash tag : #소개팅（ソゲティン）(紹介＋合コン)　#미팅（ミティン）(合コン)

check : 効率的&現実的!

韓国独自のソゲ文化とは

みなさん、韓国のソゲ文化をご存知でしょうか。ソゲとは紹介のことで、正式には「ソゲティン」、略してソゲということが最近は多いです。そして恋人のいない友達や知り合いをくっつけるために紹介することをソゲ文化といいます。

ソゲの反対語がジャマンチュ(자만추)、つまり「자연스러운（ジャヨンスロウン） 만남（マンナム） 추구（チュグ）(自然な出会いを求めること)」を指すのですが、結婚適齢期が間近(っていつだろう? 笑)のこの年齢になるとジャマンチュ率がぐんっと下がり、自然とソゲ率が上がります。

特にアラサーになると、いろいろ試してみても本当に出会いがないことに気付き、結局ソゲにたどり着く派がめちゃくちゃ多いです。韓国人のすごいところは「俺&私、今恋人いないから。ソゲよろしくね!」と言いまくるところ。そして韓国人は情が深く、世話好きな人も多いので、こういうふうに伝えておくと結構な確率で、周囲がゴリゴリと探してくれます。

韓国に住んでいて思うのは、静かに何も言わずに黙って過ごしていると損をし、言うことはしっかり言って過ごしていると得をします。ソゲもしかりです(笑)。

「ソゲ、よろしく」と伝えておくと周囲がぐいぐい相手を紹介してくれます

ソゲはカカオトークでのやりとりが多いかな

こりあゆ memo

韓国の婚活事情

韓国統計庁の速報で、婚姻件数は2023年が約19万件。これは10年前の2013年(約32万件)から40%も減少した数値です。韓国では最近は結婚を選択しない「独身・非婚主義の人」も増え、結婚に前向きな男女はわずか30%ほどという調査結果も出ています。日本も似たような状況にありますが、韓国の結婚の意識はかなり変わりつつあるようです!

男女ともに結婚観が変わってきました

ソゲのお作法講座

ソゲには、日本のお見合いのように決まったマナーやルールがあるわけではありませんが、スタンダードなパターンはあります。以下のお作法を把握して有意義なソゲ（?）を受けてくださいね!

ソゲは1対1で、カフェなどで会うのが基本です

お作法1 “ソゲリスト”を作成＆チェックする

周囲に「ソゲしたい」と伝えておくと、そのうち友達からリスト（プロフィール）が送られてきます。リストの内容は似たようなもので、箇条書き（身長や居住地などの情報から理想のタイプなど）＆写真付きが暗黙のルールです。韓国は外見至上主義なところがあるので、写真の添付は必須です。

❶身長を記載。男女ともに重要視する項目　❷外見は写真添付を。別人級の加工は避けておこう!　❸居住地。遠距離可能かなども添えて　❹仕事内容　❺理想のタイプ　❻備考

ソゲリストにはこんなことを記載

❶ 키 : 167
❷ 외모 : 보시는대로..
❸ 거주 : ■ (장거리 가능)
❹ 업무 : ■ ■ ■ ■ ■ ■
❺ 이상형 : 예의바르고 말 이쁘게 하는 여자 (■ ■ ■) / 종교 없는 사람 / 담배 안 피는 사람 / 마약 안 하는 사람
❻ 비고 : 23년 말이나, 24년에 서울 상경 가능

お作法2 違うなと思ったらお断りして全然OK!

自分のために誰かがソゲを準備してくれるので、断りづらいのは当然ですが、受けたくないソゲを受けるほうが相手に失礼になってしまいます。リストをもらった段階で違うなと思ったらお断りしてOKです。日本でも同じかもしれませんが、韓国は特に意思表示がすごく大事。礼儀は守るけど断るときは断る、がはっきりしている人が多いので、曖昧な返事をしていると「あ、いいんだな」と思われてしまいます。「マッチしたらいいな～」くらいの気持ちで提案をしているので、断っても軽く流してくれることがほとんどですし、ほかにも候補がいるものです。

断ったからといって「え～」とは思いません

お作法3 基本3回会って、お付き合いするか決める人が多い

日本でもマッチングアプリなどで出会って、「2回目に会ったらある程度お互い仲良くなりたい気持ちがある、3回目まで進んだら付き合う気持ちがある」というような基準があるとよく聞くのですが、韓国も3回という基準は同じです（笑）。ただ慎重な人の場合、会う回数が5、6回、あるいは1カ月間は様子を見るという人もいました。3回という基準を誰でも知っているにもかかわらず、告白の気配がない場合だと「もう少し様子見をしたい」というサインである可能性が高いようです。これは日本も同じですかね!

ソゲが日常的すぎて…笑。日本では少ないと聞いて逆にびっくり!

お作法4 ソゲを受けたその後は、直接やりとり

「お互いにソゲを受けてみたい!」となったら、両方（もしくは積極的なほう）に電話番号を渡して、そこからは各自好きなように…という流れが一般的。また、知り合いの知り合い経由のソゲの場合は、カカオトークのグループトークに全員招待し、本人同士を紹介したら部外者は抜け、2人だけ残す方法もよくあります。最初は気まずいのですが、この方法だとみんなで会話した後に、2人で会話ができるのがいいですね。他には、オフラインで、関係者みんなでご飯を食べるという方法も。私も何度かこの方法をやりましたが、一番自然に仲良くなれるし、相手が同性の友人といるときの様子など、素を見られるのがメリットです。

hash tag : #노래방（カラオケ） #포장마차（屋台／ポチャ）

check : たまには息抜きも大事

韓国の夜の遊び方

好みによって夜遊びはいろいろ。無理せず楽しめるスポットを見つけて！

夜遊びスポットが充実しているソウル。居酒屋やボーリング場でワイワイ過ごしたり、韓国ドラマでも登場する屋台（ポチャ）でしっとり焼酎を飲んだり…など、過ごし方も多彩です。最近はおひとり様文化も充実してきていて、1人用のノレバン（カラオケ）なんてものもあります。

そして「ザ・夜遊び」といえば、やはりクラブでしょうか。ただし、日本の「クラブ」に対する認識とはやや異なっていて、韓国では20代前半に一度は「みんなで行ってみよう!」となる、意外と庶民的にお酒を楽しめるカジュアルなクラブのほか、ドレスコードが必要でおしゃれ度の高い所に二分されます。私はうるさい場所が好きではなく、結局合わなかったのですが、当時はやっていた弘大にある「コクーン」というクラブに行ってみたりもしました。クラブは10～20代が中心で年齢制限などもあるため、30代以降の夜遊びが好きな韓国人は、「별밤」（最近はもうほぼ消えつつあるのですが）というちょっと昔のK-POPを流すクラブのような場所で遊ぶと聞きました。

弘大のクラブはカジュアル!

こりあゆ memo

夜ショッピングといえば東大門市場!?

旅行者として訪れるソウルだと、夜は東大門市場でのお買い物が定番だったかもしれません。近年は安く買える「卸売り市場」のビルは週末クローズしており、さらに円安の影響もあって少々閑散とした印象…。しかしアクセサリー専門ビル「Nyunyu」と、2023年秋に開業した「MIMILINE」は深夜でも別世界の賑わいですよ!

Nyunyuには壁にずらりとアクセサリーが!

やりたいこと別！**ローカル的夜遊びスポット**

Q お酒を飲むなら…？

近年、ソウルでは「**日本風居酒屋**」が急増中です！

韓国人はハイボールが大好き! 日本のハイボールよりはやや薄いものの、日本寄りのハイボールやサワーがソウルでも飲めるようになりました。居酒屋や一般的な酒屋、ポチャは繁華街によくあるので、夜遊びと言えばそういった場所が浮かびがち。しかし、落ち着いた30代は意外と「水産市場」や、現地の人しか来ないような遅くまで営業している刺身や海鮮を出してくれるお店などで、夜中までソジュを飲む…なんて楽しみ方もしていたりします。

❶繁華街の通り沿いでよく見かけるポチャ
❷韓国ではサントリーのウイスキーが大人気

Q 二次会で行くならどこへ？

韓国カラオケ「**ノレバン**」と「**ボーリング**」は定番ですね！

ノレバンで楽器を練習する人も!

韓国のノレバンは少し特殊で、1人あたりいくらではなくルーム代なので人数が多ければ多いほどお得! そのため会食の2次会の定番です。ノレバンの社長（サジャンニム）のサービス精神によって、サービスで時間を延長してくれることもあり、私は最高2時間延長してもらったことがあります（笑）。最近は1人文化も定着してきているので、1人や少人数で短い時間楽しめるコインノレバンも夜遅くまでやっているのがありがたい。とても韓国的だなと思うのは、ロックボーリング場。入場すると、クラブのような雰囲気でガンガン音楽がかかっています。靴もボールも暗闇で光る蛍光色。夜中までやっているので、2次会でカラオケに行くノリでボーリングに行くこともしばしばです。

❶500Wで2曲歌えるノレバンBOX。おひとり様でもOK!
❷クラブのようなボーリングはストレス発散に最適!

Q お酒があまり飲めないんだけれど…

私も！**ゲームカフェ**で120％健全な夜もあり！

韓国の国民ゲーム「ブルーマーブル」から、「黒ひげ危機一髪」まで種類はいろいろ!

囲碁初心者は五目並べからスタート!

韓国ではボドゲ（ボードゲーム）や囲碁のファン人口が多く、退勤後にゲームカフェに行く人もいます。人生ゲームのようなボドゲから、頭を使うカードゲームまで、かなりの種類があります。ゲームのルールを教わりながらやるのも時間を忘れる楽しさ。江南駅周辺や、弘大や新村など学生街にあることが多いです

area — home — study — work — life

Q. 韓国人の友達との距離感ってどう?

A. 韓国人は仲良くなると、情が厚い分すごくよくしてくれる

こりあゆ 日本人はゆっくり親しくなるけど、韓国は関係性の詰め寄り方が一気! 笑。

まい プレゼント攻勢すごいよね。そんなにしてもらうと自分もやらなきゃと思っちゃって…。

こりあゆ 韓国のおごりおごられ文化やプレゼント文化、結構好きだけど、仲良くない人にやられると負担に感じるよね。

まい ありがたいけど、本当に気の合う人とだけ、やりとりするようにしてる。距離感が近い分、ビックリなお願いをされることもあるし。この前、生徒(まいは日本語講師)が「お金払うから息子の日本語の宿題をやって!」って…。時々手段を選ばず的な強さがあるよね。

こりあゆ す、すごい。でも、自分の味方にいると強くない? 韓国の人の強さがいいと思う反面、敵だと怖いかも…。

こりあゆ*interview!*

リアルなところ、教えて! 日韓コミュ

Q. 韓国では男女の友情って、成り立つ?

A. うーん、韓国の男性の場合、ないかなあ

りさ どちらかに恋人がいる状態なら男女の友情はあると思うけど、どちらもフリーな状態だとないと思う。今まで付き合った人のことを考えると、わりと「ソム(썸)」状態を経て、結局、友人から恋愛に発展してる。

こりあゆ ソムって、日本で言う「友達以上恋人未満」の関係のことだよね。彼氏はいないけど、ソムはいるっていう人多いよね。日本は逆に、男女の友情って結構ある。

りさ 韓国は結構、束縛するよね。異性がいる場に行くことをやたらと恋人が嫌う。

まい それはそうだね。私も日本には男友達がいるけれど、韓国は夫がNG。夫は女の友達いるんだけどね。

こりあゆ それ話題の「ネロナムブル(내로남불)」(自分がやればロマンスだが他人がやれば不倫という造語)じゃないですか!

Q. 日韓の恋愛ってどんな感じ？

A. 個人的な経験だけれど、韓国男性のほうがジェントルマン

りさ 車のドアを開けてくれたり、送り迎えしてくれたりとにかく優しい。女性目線で寄り添ってくれる。

こりあゆ 私の見解だけれど、韓国の女性って「これやだ、あれして」って結構ハッキリ言うでしょ。男性は20代の恋愛でそれを吸収して学習して、30代にはジェントルマンに変わっていくんじゃないかな…。日本女性って遠慮がちだから、あまり彼氏にお願い言わないし。

りさ うんうん、それはあるよね。あとは愛情表現すごい。あれに慣れちゃうとなかなか戻れない。普通に「サランへ♡」とか毎日言ってたな。

まい 電話もすごいよね。遠距離恋愛のときも毎日電話はしてた。結婚してもそこは変わらずで、ご飯や休憩のたびに「何食べた？ 何してる?」って連絡してくる。

こりあゆ 日本の電話って“話の中身”を求めるからネタがないとかけづらいけど、韓国って“日常の共有”が目的だから、話が尽きないんですよね。

まい そこは恋愛の仕方が全然違うところかも。

ニケーション

答えてくれたのは…
りささん

ソウル在住歴10年。慶熙大学文化観光コンテンツ学科卒。アイドルの日本活動関連の仕事に従事。

答えてくれたのは…
まいさん

ソウル在住歴4年半、江原道は10年目。カフェ経営、日本語講師などマルチに活躍。

Q. 韓国でのコミュニケーションで注意してることって？

A. 嫌なものは嫌、好きなものは好き、とはっきり言うこと

りさ 私も同じ。韓国だと「黙ってる=相手の意見を認める」ってことになるんだよね。上下関係があるときは遠慮しがちだけど、それでも言うことは言いつつ、抑えるとこは抑える。

こりあゆ 私たちは二人とも韓国で日本向けの仕事してるでしょ。韓国で話すテンションで日本のクライアントと話すと、きつい人に見えちゃうよね。

りさ 会議とか自分の発言を見返すと、すごいはっきり言ってるときがある（笑）。日韓でのスイッチが注意点かもね。

まい 私、関西人なんだけど、いじり文化みたいなのがあって。たとえば、食事のときに「うちのおかんは…」って笑い混じりに、身内のこといじって話しちゃうんだけど、友達の前で、夫のことをいじったら、激怒…。

こりあゆ 韓国人って、人前で褒められるのは大好きだけど、いじられたくないっていうのありますね。特に外見に関することは敏感かも…。

まい 大丈夫な人はいるけど、ダメな人もいるから注意したほうがいいと思うわ。

hash tag : #병원（病院） #구급차（救急車） #클리닉（クリニック）

check :

病気になったり、ケガをしたら…

病気になったら近くのクリニックへ。外国人でも国民健康保険に入れます

韓国に来たばかりの頃は何もわからなかったので、延世大学附属語学堂に通っていた私は延世附属のセブランス病院に通っていました。かなり大きい病院なので外国人専用窓口で日本語対応も可能でしたが、大学病院扱いのため診療費は少し高かった覚えがあります。

私は本当によく病院にお世話になっているのですが、大学に入学してからも足にウイルスが感染し激痛のできものが。当時はそれほどアプリが発達している時代でもなく、病院の口コミを調べることも難しく…。早い段階で皮膚科に行っていれば薬の服用で済んだものの、慶熙大学の応急室に向かった時点で薬では対応できないレベルにまで悪化していて、軽い手術をし、膿を取り出すこととなってしまいました。今は情報がすぐに手に入る時代です！ なるべく早め早めに、病院に行きたいと思ったら、まずネイバー地図を開いて、家から近い病院の中から比較的レビューの高いところを選びましょう。韓国ならではだと思ったのは、錠剤が大きめでカラフル！ それから、対応がどんなに冷たい看護師さんでも注射するときに「따끈～（チクッ～）」と言ってくれるところですかね（笑）。

こりあゆ memo

症状が軽いなら薬局（약국ヤックッ）へ

病院に行くほどではないけれど、薬が欲しい場合は薬局もあります。「薬の種類（風邪薬や胃薬など）」「症状」を伝えると適した薬を薬剤師が出してくれます。ただ、個人的にはあまり効いた試しがなく…。風邪の引き始めかなと思ったらすぐに近くの病院に行くようにしています。なお、OLIVEYOUNGなど、韓国のドラックストアに薬は売っていません。

「약」のマークが薬局の印

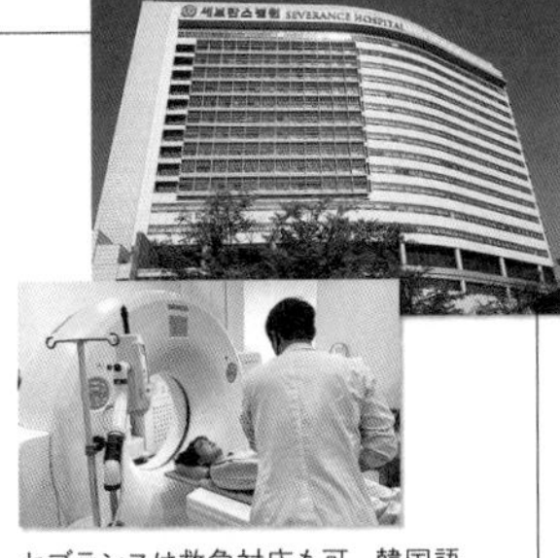

韓国の病院事情をチェック

▷ 病院＆クリニックはどこへ行く?

韓国の大学病院も「診療依頼書」がないと受診できず、保険適用されません。救急でない限り、近くの小さい病院でまず診てもらうようにしましょう。ネイバー地図で"近くの病院"で検索すれば候補が出てきます。また、「駐在人がよく訪れる病院」で調べると日本語可能な病院がちらほら出てくるので、言語が不安な方はこちらを利用するのもおすすめです。

セブランスは救急対応も可。韓国語に自信がない場合は、日本語可能な窓口に電話（→P.175）してみよう

▷ 6カ月以上滞在する外国人は"健保"に入れます!

韓国では、6カ月以上韓国内に滞在する外国人は、国民健康保険の加入が義務付けられています。自動加入のため申請は不要。留学中に病院に行くことになった際に、健康保険がとても重要になってきます。なお、歯科医での虫歯治療は保険が適用されないので注意。

健康保険について

- 資格：6カ月以上滞在する外国人（P.162の表にあるビザ所有者はすべて対象）
- 手続き：不要（自動加入）
- 保険料：毎月約7万W　※軽減率反映後の金額
- 軽減率：D-2、D-4ビザは50%に（変更あり）

▷ とにかく救急のときは"救急・消防（119）"

大きなケガをした場合、容態が悪化した場合などは「119番」に連絡を。韓国語や英語で会話ができない場合は「Japanese Please（ジャパニーズプリーズ）」と伝えると日本語通訳者に接続され、365日24時間、通訳を通して消防・救急隊員と話ができます。

病院内は清潔で安心。診察も個室に分かれていることが多いです

▷ 韓国で気をつけたい病気

呼吸器が弱い人は黄砂対策をしっかりと。冬の寒波も覚悟して…

●春先の"黄砂＆PM2.5" 時期 3～5月

大陸から偏西風に乗って飛来する黄砂。1度観測されると1週間近く続きます。目や喉の痛み、咳などの症状が出ることも。朝のニュースで注意報や警報が出た日は、マスク必須です。

●夏の"熱中症"が急増中 時期 6～8月

温暖化の影響もあってか、8月は高温多湿の猛暑で、ゲリラ豪雨も発生します。熱中症も急増しており、信号待ち用の日よけパラソルも登場。6月後半からは梅雨でぐずつきます。

●冬の"寒波注意報"に注意! 時期 12～2月

12月後半、初雪が降ったらソウルの冬が本格的にスタート。朝夕の零下は当たり前で、最低気温がマイナス17～18℃なんて日も。当然寒さによる風邪、インフルエンザなどが日本同様、流行します。

hash tag： #고민（悩み） #멘탈 케어（メンタルケア） #멘붕（メンタル崩壊/멘탈붕괴の略）

check： 一番大事なメンタルケア

ココロの整え方

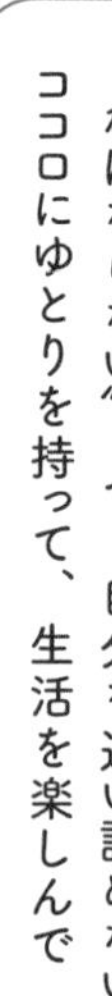

"ねばならない"って、自分を追い詰めない！
ココロにゆとりを持って、生活を楽しんで

いくら文化が似ていて近い国だとはいえ、韓国は外国。私は正直、ソウルがとても自分に合っているのでホームシックはあまり感じたことはなかったのですが、20代半ばくらいでちょっとしたスランプがありました。

韓国語能力を高めるため、文化に適応するため、ソウルで1人で生きる力を養うため、できるだけ初めは日本人だけで固まらないよう、いろんな国籍の友達を作ったり、現地の友達を作るために努力していました。最初はそれが楽しかったし"正しい留学"の仕方だと思っていたのですが…。それが在韓5年目くらいになってくると、だんだん実際の異文化を経験し、ビザ取得などの外国人ならではの壁や知人との関係を通し、自分がまだ「ウリ」に入りきれていない外国人であると実感しながら「どれだけここに適応しても、私はどこまでも日本人なんだな」と感じることがありました。同時に韓国語もうまく出ず、スランプに陥ってしまったんですね。

日本人同士での会話がいいガス抜きに

言語も中途半端、好きな土地に適応しきれないもどかしさを、外国なのだから当然なのだと受け止め、今考えるとそこからは日本人として生活を楽しみ始めた気がします。韓国で日本語を話す楽しさ、韓国に住んでいて同じ立場で働いている日本人同士でしかできない話をして盛り上がったり。日本人である私にはこういう時間も必要だったのだと改めて思いました。

目標を持って移住をした人ほどストイックになりがちですが、精神面が落ちてしまうと何もできません。ゆるっと生活を楽しんでほしいです。

頑張りすぎないことも大切

韓国在住者に聞いてみた**ココロの整え方**

ホームシックになったり、韓国に住むのがつらくなったり、どうしようもなくなったとき、
どうやってココロを癒やしているのか、ちょっとしたコツを聞いてみました。

笑うのが一番のストレス解消法 日本のエンタメが効いた（笑）

韓国に住んで14年目でもう長いから、日本よりは韓国のほうが楽ではあるんだけど、やっぱり日本の文化に触れるとほっとする。私は関西人だから、ネットで日本のお笑いを見たり、ラジオを聞いたりして。日本人のブログとかも見ていたよ。お腹の底から笑った後ってスッキリするじゃない？ そうやってリセットしていく感じ。（まい）

夜景が絶景な仁王山登山は すべてが霧消する絶景です

ソウルは低めの山に囲まれていて、登山が趣味の人も多いんです。友人と一緒に、夜景で有名な仁王山登山へ。夜の散歩は気持ちがいいし、頂上からソウルを見ていると段々ポジティブに考えられるように。アクセスしやすい位置にあるうえ、登山の難易度も低く、なんと言っても夜景が絶景です。（こりあゆ）

推しのコンサートで コロナ禍のつらい毎日を乗り越えた！

韓国に来て7～8年目、社会人2～3年目のいちばん多忙な時期に、ちょうどコロナも重なって。日本に行けなくてかなり落ち込んだのよね。そのときは、韓国内のTWICEのコンサートに行きまくって、すごいパワーをもらった。大好きなK-POPを聞いて聞いて…。推しが救ってくれたと言っていい。（りさ）

上昇志向の韓国で疲れたとき 読んだ**エッセイ**で気持ちが軽くなった

韓国就活を考えて勉強＆資格取得にと毎日頑張っていた時期、ふと韓国のエッセイを読んだんだけど、すっと肩の重さが取れた気が。周囲に合わせなくてもいいし、自分のペースでできればいいなと思えた。読書自体にもストレス解消効果があるんだって！（さら）

日本人の友達と 会う、話す ときには飲む！

ソウルにいると、日本人に会わないようにしている人と、逆につるむ人とに二分されると思う。日本人を意識して探すまではしなかったけど、日本人の立場同士で悩みを話したり、日本のネタで笑ったり。日本人として日本語で話すのは実はすごく癒やされる。「みんな頑張ってる、私も」って思える。（りさ、まい）

おいしいものを食べるのも◎

韓国的サ活もあり！

area ─ home ─ study ─ work ─ life

hash tag : #운전면허증（運転免許証）

ウンジョンミョンジュン

check :
日本よりも安く取れる!

韓国で運転免許取得に挑戦!

18歳で韓国に来ることになり、周りが免許を取るタイミングで私は韓国へ。完全にタイミングを逃し、特にソウル市内は地下鉄&バスがとても便利でどこに行くにも不便しなかったのもあって、このまま無免許でもいいか…と思っていたところ、30歳になり友人との行動範囲が広がり、このまま助手席に座り続けているのは申し訳ないなと思ったのがきっかけでした(笑)。
デジタル化が進んでいる韓国ですが教習所はアナログ式なところが多いようで、電話予約でさえ受け付けておらず、直接訪問するシステム。その代わり、筆記試験の勉強対策に使えるアプリや、試験自体はパソコンで動画の問題もあるなど、デジタルとアナログが混在していました。数年前までは日本語での筆記試験にも対応していたようですが、現在は対応しておらず、私は韓国語で試験を受けました。他国に比べ技能試験や道路試験が簡単だそうで、外国人も多く受験しに来るとのこと。私を担当してくださった教官は、うまくできないと舌打ちするような人でしたが(笑)、嫌であれば次の授業では別の人に変えてもらうこともできます。

学科・技能ともに1発合格。道路走行で2回落ちつつ、免許ゲットです（笑）

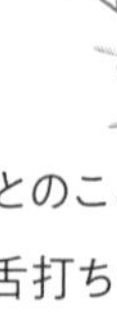

こりあゆ memo

韓国で車を買うなら…

運転免許は取ったものの、車は持っていないこりあゆです(笑)。いつかは欲しいと思って調べてみると、自動車価格(もちろん車種によってピンキリですが)、税金や自動車保険、ガソリン価格などは日本とほぼ変わりません。それ以外にかかってくる駐車場、高速道路通行料、車検あたりは日本より総じて安めです。特に車検は1万円かかりません!

EV車もずいぶん見かけるようになりました

車にまつわるあれこれを知っておくべし！

韓国はクルマ社会です。車通勤の人が多く、夫婦で1台づつ保有なんてのもわりとザラ。市内は万年渋滞のため、朝夕のソウル市内ではのろのろ運転なのですが乗用車、バス、バイクが入り乱れ、慣れるまではなかなか大変です。2011年から「公益申告」という"運転違反を通告すると報奨金が払われる制度"がスタートして以降、運転マナーが格段によくなり、スピード違反や無理な割り込みなど、交通ルールを無視した乱暴な運転は少なくなっています。

幹線道路の広さは慣れれば走りやすい。朝夕のラッシュは圧巻です…

▷日本と韓国の違いって？

韓国は日本とは逆で、左ハンドル右側通行。ルールの違いはいくつもありますが「信号が赤でも車は右折できる」というのが大きな違いです。また、韓国の幹線道路はやたら広く、片側5車線、6車線といった所も多いのが特徴です。なお、市内にはスピード違反を取り締まるカメラがたくさんあり、飲酒運転の一斉検査も結構な頻度であります。

▷運転免許はどう取得する？

日本と同様、運転教習所(塾)で講習を受け、学科試験、技能試験、道路走行試験をパスして、免許が取得できます。教習代は8万円、試験まで受けて10万円以下ほどと、日本よりはずっと安く、講習内容もかなりあっさり…です。

講習内容はこんな感じ

以下工程で全1カ月ほど。

3時間　学科の授業
1時間　学科（筆記）試験！
4時間　技能研修、試験！
6時間　道路走行研修、試験！

↓試験に合格したら…

免許証の発行！免許センターにて1時間もかからず発行されます

免許証ゲットへの道！

1 学科試験

最近は難易度が上がっており、車の知識がないと解けない質問も多くなっています。動画を見ながら「危険な状況はどれ?」いった質問も。筆記試験の対策アプリは勉強しやすいのでおすすめです。

2 技能教育研修&試験

教習所内のルートを走りながら運転研修。教官によっては雑談で終わってしまう人もいて、当たり外れが大きい（涙）。塾が挙げている動画のほか、ネット上のVLOGを見て、自宅でイメトレすることを推奨します。

3 道路走行研修&試験

道路教習はランダムでルートが選択され、生徒2名+試験官同乗でスタート。致命的なミスをすると一発失格に。時間制限もあり、3回目にして合格。なお、21回落ちた友人も！

4 免許証の発行

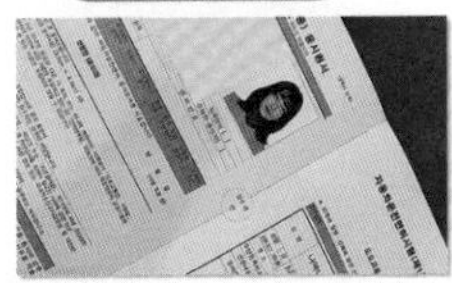

免許センターで発行され10年間有効です。表はハングル、裏は英語で表記。500円ほど追加すれば、オンラインでモバイル免許証も作成可能です。

hash tag：#한국어（韓国語）#영어（英語）#학습（学習）

check：

韓国語&英語の上達法

大勢のなかでの〝アウトプット〟と、発音を〝まねる〟トレーニングが上達の鍵！

韓国語＜輪に飛び込め！＞

教科書や語学学校での勉強を通してある程度レベルを上げることができても、韓国人と問題なく意思の疎通ができるようになるためにはアウトプットが必須。

よく「ネイティブの友達を作る」「韓国人の彼氏を作るのが一番手っ取り早い」と言いますが、もちろん間違いではないもののこれは中級まで。個人的には一対一の会話での「会話できた感」はあまり信用できないと思っています。というのも、相手が一生懸命聞く態度でいてくれている状態であれば、疎通はいくらでもできるもの。

会社の雑談でリアル表現を学ぶ！

大人数の輪に入って会話にスムーズに入り込めるようになってからが、ぐんと伸びると思っています。実際に私もそうでした！

英語＜韓国人の発音をまねる！＞

カナダ留学でネイティブの英語を体感

私自身、英語はそこまで得意ではないのでアドバイスできるようなことはあまりないのですが(笑)。私が韓国の大学に通いながら感じたのは、韓国の大学ではプレゼンをよくさせることもあって、韓国の学生はプレゼンがうまい！ これは英語のプレゼンもしかりでした。韓国人はネイティブの英語ではないものの、日本人の私にとっては「聞き取りやすく発音のよい英語」。プレゼンでよく使う表現や、韓国風に発音すると少しネイティブっぽく聞こえる発音を練習してからカナダ留学に臨みました。

こりあゆ流！ 中級からの実力の伸ばし方

ある程度の会話が問題なくできるようになった「中級」から伸び悩む人が多いようです。
かくいう私もそうでした。いまだに知らない単語もまだまだあって、日々のインプットが欠かせません。
そこで、実際に中級を脱出するために行なっていた勉強法を紹介します。

1 好きな推しコメをシャドーイング！

メイク時や一日の終わりに、WEBドラマや推しのインタビュー動画を見ながら、推しのコメントをシャドーイング！ それも推しの発した一文の発音やイントネーションを含め、完全コピーします。これだとネイティブに近い話し方が学べるうえ、推しに近づけます（笑）。

2 シャワーで独り言…。これが意外にも効果的！

シャワーをするとき、1人でぶつぶつ韓国語をつぶやきます（笑）。内容はさまざまですが、会社に対する不満があれば、次の日に話す内容を怒りにまかせてぶつぶつと。ストレス発散になるうえ、実際に話すときには内容も整理され、落ち着いて話せるという効果も！

3 口をしっかり動かす朝の音読タイム

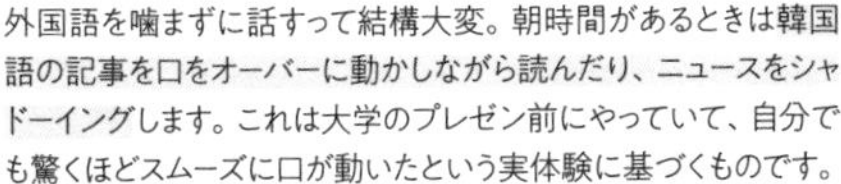

外国語を噛まずに話すって結構大変。朝時間があるときは韓国語の記事を口をオーバーに動かしながら読んだり、ニュースをシャドーイングします。これは大学のプレゼン前にやっていて、自分でも驚くほどスムーズに口が動いたという実体験に基づくものです。

4 韓国語オンリーの日をあえて作る！

頭の中で考えたり文章を書いたりする際には困らないのですが、「話すときの口の動かしかたの切り替え」が難しいことが。日本語で半日話すと韓国語がうまく出てこず、表現もぎこちなく…。そのため、定期的に韓国語でマシンガントークする日を作っています（笑）。

5 日本語と韓国語、脳内言語を5：5に

日本語をたくさん使ったな…という日は自宅で韓国語でドラマを見たり、好きな芸能人のインタビュー映像を見たりして、自分の脳内言語を韓国語5：日本語5くらいにすることを心がけています。理想は毎日「8：2」くらいの比率が私にはよいのかなと思ってます。

6 知らない単語は、すぐググる！ 新しい表現は、すぐメモる！

知らない単語が出てきたらすぐ調べるほか、友達が使っていた表現で「あ、そんな言い方があるのか」と思ったときは携帯にメモ。時間がある時にその言葉を検索し、同じ表現で別の文章を見たりします。スキマ時間を使って少しでも表現の幅を広げることができますよ。

7 語学学習系アプリを使用する

CAKEやデュオリンゴは英語学習アプリですが、韓国語編もあります。韓国の芸能人が番組で話している画像や、ドラマや映画で出てきたセリフ、バラエティなどの動画を教材に、生きた韓国語表現を学べます。アイドル好きはスイスイ頭に入ってくるはず！

漢字由来の韓国語と、英語が混在してます!

オフィスでよく使う韓国語16

頻出ワード	こりあゆ解説!
フェサウォン　チクッチャンイン 회사원／직장인	회사원(会社員)はそのままですが、韓国は同じ意味で「직장인(職場員)」という単語もとてもよく使うので一緒に覚えておくと◎。
フェイ　ミティン 회의／미팅	会議、ミーティングという意味。日本語同様、両方よく使います!
フェイロッ　ミティンロッ 회의록／미팅록	議事録という意味で、韓国語では「会議録」「ミーティング録」という言い方をします。議事録をそのままハングルにした「의사록ウィサロ」という単語もあるようですが、一般企業ではあまり使わない単語のようです。
ユヨンクンムジェ 유연근무제	フレックス制のことですが、韓国語では「柔軟勤務制」という言い方をします。韓国語っぽいですよね(笑)。
チュルテグン 출퇴근	「出勤(출근チュルグン)」「退勤(퇴근テグン)」を合わせて「出退勤」となります。韓国語では日常でもとてもよく使う表現です。
インビ 인비	英語のinvitationを略した言葉。会議などで誰かを招待するとき、「인비 보내드릴게요インビ ボネドゥリケヨ(招待送りますね)」というように使います。
ヤグン 야근	日本語でそのまま訳すと「夜勤」となりますが、韓国語では「残業」を意味する言葉です。
イシュ 이슈	issueのことで、何か問題が起きたときなどその問題のことを「イシュー」と表現します。
ヨンボンヒョブサン 연봉협상	会社によってタイミングはさまざまですが、たいてい年末か年初に行う年俸を交渉すること。
キョルチェ 결재	「決裁」という意味。決済を意味する「결제キョルジェ」は「제ジェ」。決裁は「재チェ」になります。よく似ていますが間違わないように注意!
コンポム 컨펌	confirmという意味で「確認、OKをもらう」という意味。韓国では本当にとってもよく使う単語で「컨펌 받다コンポム バッタ(OKをもらう)」と覚えておくと◎。
ヨンチャ 연차	有給のこと。「유급휴가ユグプヒュガ(有給休暇)」という言葉もありますが、基本的には연차という単語を使います。
ススプキカン 수습기간	日本でいう「研修期間」のこと。入社してからの見習い期間のことを韓国語では「修習期間」と表現します。似ているようで違うので注意!

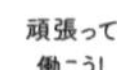

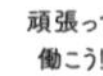

CHAPTER

6

INFORMATION

ソウルの情報を集める

ソウルエ　ジョンボウル　スジバダ
서울의 정보를 수집하다

留学、ワーホリ、就労に必要なビザは?

実はビザの種類は30以上も。なかでも取り組みやすいものを厳選!

to do: ビザにもいろいろあります

留学・語学系ビザは比較的取りやすい

就労ビザは、どれも条件が厳しい!

最も取りやすいワーホリビザ(H-1)ですが近年、年齢制限が厳しく…

	在留資格	記号	対象者	在留期間上限	ビザ発給条件
留学・語学研修関連	求職ビザ	D-10	就活、インターンなど	6カ月間	●学士学位(国内専門学士を含む)以上の学位を所持する外国人で、求職ビザ用の配点表で合計60点以上を取得している者
留学・語学研修関連	留学ビザ	D-2	大学(大学院)正規課程	2年間	●専門学士過程、修士過程、博士過程 ●日本の大学に在学しながら韓国内の特定研究機関として指定された大学で活動する場合 ●日本の大学と姉妹校である韓国の大学との交流協定によって交換留学生として活動する場合
留学・語学研修関連	一般研修ビザ	D-4	語学堂の韓国語研修課程	2年間	●大学の語学堂などで韓国語を研修する者 ●留学(D-2)資格に相当する機関もしくは学術研究機関以外の教育機関で教育を受ける者 ●国公立研究機関や研修院などで技術、機能などを研修する者 ●外国人投資企業もしくは外国に投資する企業体などでインターン(実習社員)として教育もしくは研修を受けたり、研究活動に従事している者
就労ビザ	特定活動ビザ	E-7	特別に指定された職業の従事者	3年間	●職種と関連のある分野の修士以上の学位を所持している者 ●職種と関連のある学士を所持 + 1年以上の該当分野での経歴(経歴は学位、資格取得以降の経歴のみ認定) ●導入職種と関連のある分野で5年以上の勤務経歴
就労ビザ	芸術興行ビザ(アーティストビザ)	E-6	公演、映画、放送、作詞、作曲、画家、写真、舞踊、演奏、スポーツ(eスポーツ含む)、モデル、俳優など芸術活動の従事者	2年間	●作曲家、画家、彫刻家、工芸家、小説家、写真家や音楽、アート、文学、写真、演奏、ダンス、映画、体育など創作・芸能活動の従事者 ●収益のために個人または団体で芸能、演奏、演劇、運動などをする者やマネージャーなど同行する者を含む
就労ビザ	会話指導ビザ	E-2	日本語教師	2年間	●日本語教育専攻者、または副専攻者 ●日本語教育能力検定試験合格者 ●日本語教師養成講座420時間修了者 ●日本語教育機関等で授業経験のある者 ●四年制大学卒業者
その他	居住ビザ	F-2	上場法人従事者・専門職従事者・留学人材	5年間	●韓国人の子ども ●永住権者の配偶者、未成年の子ども ●難民として認定を受けた者 ●高額投資家 ●点数制に基づく優秀人材 ●ビザ所持者の家族など
その他	観光就業ビザ	H-1	ワーキングホリデー	1年間	●申請時の年齢が18歳以上25歳(やむを得ない事情と判断される場合は30歳)以下であること ●過去に韓国の(H-1)ビザで入国した経験がないこと ●パスポートの有効期間が査証発給申請時から6カ月以上 ●扶養家族などを同伴しないこと ●滞在費など財政能力があること、など
NEW!※	ワーケーション(デジタルノマド)ビザ	F-1-D	海外企業従事者、自営業者、フリーランスなど(リモートワークが可能な者)	1年間	●18歳以上 ●韓国外の企業に属するリモートワーカー(1年以上同一業種に勤務している必要あり)、及びその家族 ●年間所得が2024年1月時点で、米ドルで約65,000 USD、日本円で約930万円 ●短期滞在資格(B-1、B-2、C-3)で要件を満たす場合、ワーケーションビザに変更が可能

※Kカルチャー研修ビザ(仮):2024年後半までに発表される

★2024年3月現在の情報です。情報は頻繁に変わるため、詳細は各機関への問い合わせを。

ビザについて

▶ **ビザとは?**

韓国に渡航する際の身元の証明書のこと。90日までの滞在はビザが不要ですが、91日以上の滞在はなんらかのビザが必要です。滞在する目的によってビザの種類が異なります。

▶ **申請方法**

ビザ申請は、住まいの管轄となる韓国の大使館や領事館に本人が申請します。申請書のほか、複数の書類提出が必要です。また管轄大使館によって書類が異なるため、事前に確認を。

▶ **問い合わせ先**

○大韓民国大使館

お住まいの地域の管轄別に領事館が記載されています。書類等は該当施設に問い合わせること。

必要書類	活動条件	アルバイト	インターン	正社員	備考
●査証発行申請書、証明写真、パスポート、パスポートのコピー ●最終学歴証明書 ●求職活動計画書 ●滞在費立証書類（銀行口座残高証明）など	フルタイムで働くことは可能だが、正社員として働くことはできないため、形式はインターンでなければいけない	○	○	×	大学や大学院卒業前のD-2ビザの学生が「卒業証明書」ではなく「卒業予定証明書」で申請をした場合、半分の3カ月間しかビザが出ないので注意
●査証発行申請書、証明写真、パスポート、パスポートのコピー ●標準入学許可書(※コピー可) ※ビザ制限大学の可否は毎年3月頃に変更があるため、各大学に要問い合わせ	アルバイトをするには入国管理事務所で資格外活動許可をもらわなければならない	○	○	×	D-2ビザの労働可能条件に当てはまる場合はインターンも可能（学部生週20時間、大学院生週30時間以内の勤務）
●査証発行申請書、証明写真、パスポート、パスポートのコピー ●標準入学許可書（※コピー可） ●D-4の場合、最終学歴証明書または在学証明書の1カ月以内の原本 ※ビザ制限大学の可否は毎年3月頃に変更があるため、各大学に要問い合わせ		○	○	×	
●査証発行申請書、証明写真、パスポート、パスポートのコピー ●雇用契約書 ●資格要件立証書類（学位証、経歴証明書など）など		×	×	○	ビザの発給を受けるには企業側の協力が必須のため、面接などの際に過去の発給状況やビザ発給の可否に関して確認しておくことが必要
●査証発行申請書、証明写真、パスポート、パスポートのコピー ●資格証明書、キャリア証明書 ●法定代理人同意書（未成年の場合） ●事業者登録証 ●雇用契約書のコピー ●活動分野に応じた資格要件を備えた書類 ●関連する政府の雇用推薦書 ●身元証明書など	収益が伴う音楽、美術、文学、芸能、演奏、演劇、運動競技、広告、ファッションモデルなどで出演する興行活動	×	×	○	活動分野によって提出書類が増える可能性がある
●査証発行申請書、証明写真、パスポート、パスポートのコピー ●健康診断書 ●最終学歴証明書類 ●犯罪経歴証明書 ●講師契約書など		×	×	○	
●査証発行申請書、証明写真、パスポート、パスポートのコピー ●国民の未成年子女であることを立証できる公的書類 ●身元保証書 など	滞在期間中、在留資格以外の活動許可なしで自由に就職が可能	○	○	○	F-2ビザは種類が細かく分かれており、用意する書類もそれぞれ異なる
●査証発行申請書、証明写真、パスポート、パスポートのコピー ●健康診断書 ●最終学歴証明書 ●犯罪経歴証明書 ●保険証書 ●往復航空券または往復船舶券のコピー ●銀行残高証明書原本（30万円以上） ●活動計画書（韓国語または英文で作成）など	1週間当たりの最大就業可能時間は25時間以内	○	○	×	申請先の領事館により情報が異なる場合があるため、最寄りの領事館の情報を確認する
●査証発給申請書、証明写真、パスポート、パスポートのコピー ●在職証明書 ●犯罪経歴証明書 ●医療保険加入証明書（1億ウォン以上の医療保険に加入） ●家族関係書類など	就労や営業活動を行うことは不可	×	×	×	2024年1月1日から新設された資格のため、情報が変わる可能性あり

人気のインソウルをPick Up！

留学生人気の高い大学を厳選！

to do：

韓国の大学に正規留学したい！

学校名	ハングル	ハングル読み	エリア	特徴
延世大学校	연세대학교	ヨンセテハッキョ	新村	ソウル大学校、高麗大学校と合わせて「SKY（スカイ）」と呼ばれる名門大学のひとつ。著名な教授が在籍しており、授業の質が高いことに定評がある。2015年には、外国人専用学科であるグローバル人材学部を設立した。
高麗大学校	고려대학교	コリョテハッキョ	城北	ソウル大学校や、延世大学校と肩を並べる韓国屈指の名門校。研究とイノベーションに重点を置き、最先端の教育に触れることができる。サークル活動も活発で、充実したキャンパスライフを送ることができる。
ソウル大学校	서울대학교	ソウルテハッキョ	冠岳	1946年に韓国初の国立総合大学として設立され、世界でもトップ大学として認知されている。多様な専門性をもつ教職員が在籍しているため、興味のある分野を深く学ぶことができる。
慶熙大学校	경희대학교	キョンヒテハッキョ	東大門	ソウルおよび京畿道の4年制大学の中で唯一、韓医科大学、医科大学、歯科大学、薬学大学のすべてを保有している大学として知られる私立名門大学。綺麗で壮大なキャンパスで大学生活を楽しめるのも魅力。
成均館大学校	성균관대학교	ソンギュンガンテハッキョ	鍾路	創立約600年となるグローバルな大学。1999年からサムスングループが経営に参加しており、現在最も成長する大学の一つとして注目を集めている。英語で授業が行われる学科（英語トラック）が充実している。
漢陽大学校	한양대학교	ハニャンテハッキョ	城東	工科大学分野において高い競争力をもつ総合大学。留学生への支援を積極的に行うほか、海外インターンシップの機会も拡大させている。チャン・グンソクやイ・ビョンホンなど多数の俳優陣やスポーツ選手などを輩出。
韓国外国語大学	한국외국어대학교	ハングクウェグゴテハッキョ	東大門	韓国国内最高レベルの外国語教育が学べる名門大学。世界各国500以上の大学と交流協定を結ぶなど、国際色豊かなキャンパスの雰囲気が味わえる。充実した授業カリキュラム、講師陣の質の高さに定評がある。
西江大学校	서강대학교	ソガンテハッキョ	新村	「SKY（ソウル大学、延世大学、高麗大学）」などと並び、名門大学として知られるカトリック系大学。学生で賑わう弘大や新村までも歩いて行ける立地も魅力。
梨花女子大学校	이화여자대학교	イファヨジャテハッキョ	新村	韓国にある女子大学の中では最難関校、最大級規模とされる。大学のプログラムには、女子学、ジェンダー学に関するプログラムが多数組み込まれている。国際交流、海外大学への留学など国際的なプログラムも充実。
ソウル市立大学校	서울시립대학교	ソウルシリプテハッキョ	東大門	韓国の公立大学だが多くの専攻を備えている最大規模の大学としても知られる。ほかの大学に比べると学費が安いため、費用を抑えながらレベルの高い授業を受けることができる。

学生からも人気の高い、インソウルにある10の大学。狭き門だけれど狙ってみよう！

★2024年3月現在の情報です。情報は頻繁に変わるため、詳細は各機関への問い合わせを。

韓国大学への出願方法

▶ 必要なビザ

大学に留学するためには、「留学ビザ(D-2)」が必要です。ビザ申請方法についてはP.162を参照。

▶ 入学申請に必要な書類

・入学申請書(学校のHPからダウンロード)
・証明写真　・最終学歴の卒業証明書(アポスティーユ認証付)
・公認語学能力成績表(TOPIKの成績証明書など)
・銀行残高証明書　・戸籍謄本
・自己紹介書(および学習計画書)　・パスポートのコピー

▶ 出願方法

大学のHPからオンライン願書を提出。
オンライン出願後に、提出書類を学校の事務室へ郵送する。
※学校によっては出願方法が異なる場合もあるため、HPにて必ず確認するようにしてください。

キャンパス所在地	学費(人気学部の1学期の費用)	大学の公式HP	QRコード
●新村キャンパス (地下鉄2号線 新村駅) ●仁川ソンド国際キャンパス (仁川地下鉄1号線 キャンパスタウン駅)	【授業料】3,732,000W(人文) 6,043,000W(グローバル人材学部)	https://www.yonsei.ac.kr	
●ソウルキャンパス (地下鉄6号線 安岩駅) ●セジョンキャンパス (セジョン特別自治市)	【授業料】3,757,000W(人文) 6,404,000W(医学)	https://www.korea.ac.kr	
●冠岳キャンパス (地下鉄2号線 ソウル大学入口駅) ●蓮建キャンパス (地下鉄4号線 恵化駅)	【授業料】2,442,000W(人文) 3,072,000W(医学)	https://en.snu.ac.kr	
●ソウルキャンパス (地下鉄1号線、京義中央線 回基駅) ●国際キャンパス (水仁盆唐線 霊通駅)	【授業料】4,510,400W(人文) 6,081,400W (工科・スポーツウェア融合・電子情報・応用科学・生命科学)	https://www.khu.ac.kr	
●明倫キャンパス (地下鉄4号 恵化駅) ●栗田キャンパス (地下鉄1号線 成均館大駅)	【授業料】5,149,000W (人文科学系列/社会科学系列/経営学) 6,668,000W(工学系列/電子電気工学部)	https://www.skku.edu/skku	
●ソウルキャンパス (地下鉄2号線 漢陽大駅直結) ●ERICAキャンパス (京畿道アンサン市)	【授業料】4,344,000W(人文) 5,740,000W(芸能)	https://www.hanyang.ac.kr/	
●ソウルキャンパス (地下鉄1号線 外大前駅) ●グローバルキャンパス (龍仁キャンパス)	【授業料】4,198,500W(人文) 5,220,000W(工学)	https://www.hufs.ac.kr	
●ソウルキャンパス (地下鉄5号線 デフン駅)	【授業料】4,524,000W(人文) 5,852,000W(工学)	https://sogang.ac.kr	
●ソウルキャンパス (地下鉄2号線 梨大駅)	【授業料】8,691,000W(平均)	http://www.ewha.ac.kr/ewha/	
●ソウルキャンパス (地下鉄1号線 清涼里駅)	【授業料】1,022,000W(人文社会) 1,444,000W(美術)	https://www.uos.ac.kr	

学校によって特徴が異なる!!

3

to do:

語学堂は内容で選びたい

学校名	ハングル	ハングル読み	エリア	特徴
慶熙大学校 国際教育院	경희대학교 국제교육원	キョンヒテハッキョ クッチェキョユグォン	東大門	韓国語の学習や韓国での生活をバックアップするトウミ制度が人気。充実した韓国留学プログラムを提供している。
高麗大学校 韓国語センター	고려대학교 한국어센터	コリョテハッキョ ハングゴセント	城北	高麗大学出身の韓国語教育専門家が教育を担当。文化授業、遠足、スピーチコンテストなど多様な特別活動も行っている。
建国大学校 言語教育院	건국대학교 언어교육원	コングクテハッキョ オノキョユグォン	広津	ソウルの中では珍しい緑あふれる美しいキャンパスで、実践的な韓国語の授業が受けられる。他の語学堂に比べて日本人学生の割合が少ない。
ソウル市立大学校 韓国語学堂	서울시립대학교 한국어학당	ソウルシリプテハッキョ ハングゴハクタン	東大門	ソウル市が運営する公立大学。経験豊富な講師たちが、一人一人のレベルに合わせたオーダーメイド型の授業を提供。学費を抑えたい人にもおすすめ。
延世大学校 韓国語学堂	연세대학교 한국어학당	ヨンセテハッキョ ハングゴハクタン	新村	伝統ある名門私立大学であり、韓国でもトップクラスの大学として知られる。留学生へのケアが整っており、文法・読み・書きをバランスよく学べる。
梨花女子大学校 言語教育院	이화여자대학교 언어교육원	イファヨジャテハッキョ オノキョユグォン	新村	集中コースは、話す、聞く、読む、書くを合わせたコミュニケーション中心の統合教育プログラム。各学級を2人の教師が指導する。男性も入学・受講が可能。
弘益大学校 国際言語教育院	홍익대학교 국제언어교육원	ホンイクテハッキョ クッチェオノキョユグォン	新村	学生街・新村に位置する芸術大学。韓国最先端の文化・ファッションがあふれる街で充実した留学生活を送ることができる。
崇実大学校 国際教育院	숭실대학교 국제교육원	スンシルテハッキョ クッチェキョユグォン	銅雀区	国際色豊かな私立大学として知られる。TOPIK対策クラスのほか、K-POPやテコンドーなどの授業をとることができるプログラム制度が豊富。寮を希望する学生は誰でも入居可能。
西江大学校 韓国語教育院	서강대학교 한국어교육원	ソガンテハッキョ ハングゴキョユグォン	新村	授業中にロールプレイングを含めた会話を徹底して行うなど、会話重視の授業スタイルが人気。昼間の受講が難しい学生のための夜間過程もある。
明知大学校 韓国語教育センター	명지대학교 한국어교육센터	ミョンジテハッキョ ハングゴキョユクセント	新村	ソウルキャンパスは都心部・新村の近くに位置しており、アクセスも抜群。外国人留学生へのサポートも手厚く、勉強しやすい環境で韓国語や韓国文化を学ぶことができる。
漢陽大学校 国際教育院	한양대학교 국제교육원	ハニャンテハッキョ クッチェキョユグォン	城東	特に中級、高級レベルの授業に定評があり、じっくり韓国語を勉強したい人におすすめ。漢陽大学の学生たちと会話練習ができる特別プログラムも運営している。
韓国外国語大学校 韓国語文化教育院	한국외국어대학교 한국어문화교육원	ハングクウェグゴテハッキョ ハングゴムンファキョユグォン	東大門	外国語の専門大学でもあり、充実した授業カリキュラムをはじめ、講師陣の質の高さには定評がある。インターナショナルな雰囲気も魅力の一つ。
東国大学校 韓国語教育院	동국대학교 한국어교육원	トングクテハッキョ ハングゴキョユグォン	中区	韓国語とともに韓国の文化や歴史も一緒に学ぶことができる、文化授業プログラムが充実。学生一人一人のレベルや文化に合わせた教育方法をとっている。

私が通ったのは延世大学校の語学堂!

★2024年3月現在の情報です。情報は頻繁に変わるため、詳細は各機関への問い合わせを。

出願方法について

▶ 必要なビザ

・一般研修ビザ(D-4)
・観光就業ビザ(H-1)

ビザ出願方法については
→P.162

▶ 入学申請に必要な書類

・入学申請書(学校のHPからダウンロード)
・証明写真　・最終学歴の卒業証明書(アポスティーユ認証付)
・銀行残高証明書　・パスポートのコピー
※語学堂により提出する書類が異なる場合があります。
詳しくは学校の公式HPなどをご確認ください。

▶ 出願方法

語学堂のHPからオンライン願書を提出。
オンライン出願後に、提出書類を学校の事務室へ郵送する。
※学校によっては出願方法が異なる場合もあるため、HPにて必ず確認するようにしてください。

学費	授業時間	開設レベル	クラス人数	アクセス	QRコード
入学金:120,000W(初学期のみ) 授業料:1,800,000W(1学期分)	週5日(月~金)9:00~13:00／1日4時間(週20時間)	正規過程 1~6級	10~14人程度	地下鉄1号線 回基駅	
入学金:120,000W 授業料:1,800,000W	週5日(月~金)9:00~13:00または13:45~17:45／1日4時間(週20時間)	正規過程 1~6級	10~13人程度	地下鉄6号線 高麗大駅	
入学金:150,000W 授業料:1,800,000W	週5日(月~金)9:00~13:00／1日4時間(週20時間)	正規過程 1~6級	12~15人程度(韓国語の実力などで編成)	地下鉄2号線・7号線 建大入口駅	
入学金:50,000W 授業料:1,500,000W	週5日(月~金)9:00~12:50／1日4時間(週20時間)	正規過程 1~6級	10~16人程度	地下鉄1号線 清涼里駅	
入学金:80,000W 授業料:1,770,000W	週5日(月~金)9:00~13:00または14:00~17:50／1日4時間(週20時間)	正規過程 1~6級	12~14人程度	地下鉄2号線 新村駅	
入学金:80,000W 授業料:1,740,000W	週5日(月~金)9:10~13:00／1日4時間(週20時間)	正規過程(韓国語集中コース)1~6級	15人程度	地下鉄2号線 梨大駅	
入学金:100,000W 授業料:1,750,000W	週5日(月~金)9:00~12:50／1日4時間(週20時間)	初級1~高級2(6段階)	12人程度	地下鉄2号線 弘大入口駅	
入学金:60,000W 授業料:1,540,000W	週5日(月~金)1級・2級 13:30~17:30、3~6級 9:00~13:00／1日4時間(週20時間)	正規過程 1~6級	15人程度	地下鉄7号線 崇実大学校入口駅	
入学金:100,000W 授業料:1,830,000W(午前クラス)、1,770,000W(午後クラス)	週5日(月~金)9:00~13:00または13:30~17:30／1日4時間(週20時間)	正規課程 1~6級、韓国文化課程 7級	16人以内	地下鉄2号線 新村駅	
ソウルキャンパス入学金:50,000W 授業料:1,500,000W ヨンインキャンパス入学金:50,000W 授業料:1,300,000W	ソウル、ヨンインキャンパス共通 週5日(月~金)1級・2級 14:00~18:00、3~6級 9:00~13:00／1日4時間(週20時間)	正規過程 1~6級	15人以内	地下鉄2号線 新村駅、 弘大入口駅	
入学金:100,000W 授業料:1,780,000W	週5日(月~金)9:00~13:00または14:00~18:00、集中クラス 14:00~17:00／1日4時間(週20時間)	正規過程 1~6級、集中クラス	15人以内(集中クラスは10人以内)	地下鉄2号線 漢陽大駅	
入学金:60,000W 授業料:1,630,000W	週5日(月~金)1級・2級 13:30~17:30、3~6級 9:00~13:00、7級(通翻訳課程)13:30~17:30／1日4時間(週20時間)	正規過程 1~6級	7~13人程度	地下鉄1号線 外大駅	
入学金:60,000W 授業料:1,770,000W	週5日(月~金)10:00~14:00／1日4時間(週20時間)	正規過程 1~6級	12人程度	地下鉄3号線 東大入口駅	

おうちや学校探しを助けてくれるプロ！

to do : 不動産&留学エージェントを知る！

手続きなどは、プロにおまかせする手もあります！

エージェント

「不動産エージェント」

ソウルでおうち探しをしたいけれど、韓国語が苦手、地理がわからないといったときは「不動産のプロ」に頼ってしまうのも手です。不動産に関しては、契約書類も複雑で難しく、大家さんとのやりとりにもコツがいります。初回はプロにおまかせして、慣れたら自分で準備するという流れが安心です。

不動産エージェントにお願いできること

- **物件の探し方を教えてくれる**
  部屋の希望を聞き、条件に合う物件を見つけてくれます。
- **部屋の内見の手配**
  希望の部屋を見学できるように、大家さんと日程を調整してくれます。
- **契約書の作成や手続きのサポート**
  家を借りる手続きや書類作成などを手伝ってくれます。
- **家賃の支払いやトラブル相談**
  家賃の支払いやトラブルがあったときにサポートしてくれます。
- **周りの環境や生活情報のレクチャー**
  物件周辺の便利な場所や生活に役立つ情報を教えてくれます。

日本語で不動産相談したいなら！

エイブルソウル店

ソウル唯一の政府公認の日系不動産。韓国の家探しは日本とは異なるシステムのため、慣れるまでは日本語でのサポートが受けられると安心です。エイブルソウル店は、引越日の立ち会い、公共料金手続き同行サービスなど、基本的なサービスが受けられます。

[日本時間] 9:00~18:00
[現地時間] 9:00~18:00
土・日曜、韓国の祝日
02-6082-5600
www.able-nw.com/seoul

まだある不動産エージェントLIST

エージェント名	特徴	こんな人におすすめ	URL
おうちコリア	韓国留学経験のある日本人スタッフ、韓国の不動産に詳しい韓国人スタッフが、滞在目的や希望に沿った物件を多数提案。単身者、学生向けの物件が多いことが特徴。	●韓国語初心者 ●単身者、学生 ●韓国生活の相談もしたい	https://www.owchikorea.com
ハートステイコリア	契約後に無料で受けられるカスタマイズサービス（契約の通訳・翻訳、入室の付き添いなど）があり、手厚いサポートが魅力。LINEで気軽に相談もできる。	●契約から入室まで一通りサポートしてほしい ●随時相談したい	https://heartstay.house
ソウル部屋ナビ	ワンルーム、コシウォン、下宿、シェアハウスなどカテゴリーごとにさまざまな物件を紹介していて、物件数が豊富。学生向け、駐在員向けなど対象が幅広いのもポイント。	●各種物件タイプから選びたい ●ワーホリやホームステイに興味がある	https://seoul-heyanavi.com/home
GTN（グローバルトラストネットワークス）	累積25万人の顧客サポート実績を持つ。一般契約（1年以上の長期契約）のほか、マンスリー契約（1カ月単位での部屋の契約）のサポートも行っている。	●初期費用を抑えたい ●短期契約がしたい	https://gtnkorea.kr

エージェント

留学エージェント

語学堂や語学学校への語学留学は、学校のことをよく知っているエージェントにアドバイスを受けながら進めるのがおすすめ。また、最近はダンス留学や美容留学など新しいカタチの留学も増えています。このようなノウハウが少ない留学は、特にエージェントに頼るほうが効率的です。

エージェントにできること!

●留学プログラムの提案
留学希望者のニーズに合った留学プログラムを提案し、適切な大学や言語学校を紹介します。

●入学手続きの支援
入学手続きやビザ申請などの書類作成や手続きに関する支援をします。

●費用面でのアドバイス
留学費用の見積もりや奨学金、助成金などの金銭面での支援やアドバイス。

●生活サポート
留学生が到着後も生活面での一部サポート。住居の手配や健康保険などの提供もします。

●文化・言語サポート
異文化や異なる言語環境に適応するためのサポートを提供。

ダンスや美容留学などスキル留学が充実!

だれでも留学

留学経験があり、頻繁に視察に行って情報収集を行うスタッフが留学をサポート。語学堂、語学学校の留学はもちろん、ダンスや美容などスキルに関する留学、短期留学も充実。

10:00~18:00
土・日曜、祝日
0120-962-981
https://www.mysuta.jp/

まだある留学エージェントLIST

エージェント名	特徴	こんな人におすすめ	URL
SEKC 韓国留学	語学留学以外にもダンスや美容を目的にした短期滞在プランなど、目的別のパッケージサポートプランが充実している。	●ダンス留学や美容にも興味がある	http://www.sekckorea.com/jp/
aah! education	韓国内の有名大学からソウル以外の都市の大学、サイバー大学にいたるまで留学を幅広くサポート。日韓交流会やセミナーなども積極的に開催している。	●地方への留学にも興味がある ●留学中も日韓交流会やセミナーに参加したい	https://aah-e.net
毎日留学ナビ	初心者でも挑戦しやすい短期留学プログラムを多数展開。留学に必要なサポートは対応ごとに料金が設定されているため、無駄な費用を抑えられる。	●必要なサポートのみ受けたい ●費用を抑えて留学したい	https://ryugaku.myedu.jp
Uri留学	ソウルと釜山の大学・大学院の留学をサポート。入学までに必要な書類の取り寄せや入学までのサポートがメインとなっている。	●韓国の大学進学や編入学に興味がある	https://uri-anywhere.com/support-list/
韓国留学navi	LINEやオンラインで完結できる留学専門エージェント。語学堂への留学やワーキングホリデー、美容やダンス留学まで幅広く対応している。	●オンラインで手軽に留学準備を済ませたい	https://k-ryugaku.net
ラストリゾート	留学のカウンセリングや語学学校の入学手続きのほか、ワーキングホリデーに関する手続き、ホームステイのサポートも行う。全国43ヵ所にオフィスがあり、留学フェアも定期的に開催。	●留学に関して直接相談したい ●ワーホリやホームステイに興味がある	https://www.lastresort.co.jp
SQUARE 韓国留学	語学堂、大学入学、K-POP留学などをサポート。韓国の大学への正規留学の場合、受験に必要な自己紹介書や学習計画書を添削してくれるサービスも。	●韓国の大学への正規入学に興味がある	https://jp.square-edu.net

韓国への渡航準備はここをチェック！

to do: **ソウル基本情報をまとめ！**

1 まずはソウルについて学ぶ ソウル基本情報

東京から2時間30分！時差もありません

韓国の面積は約10万㎢。日本の約3分の1で、首都のソウルは東京23区と同じくらいの大きさ。時差はないが、経度が異なるため韓国のほうが日の出と日の入りは少し遅い。日本語が通じることも多く、日本語のメニューを用意している店もある。

韓国MAP

京畿道
江原道
仁川（インチョン）
ソウル
仁川国際空港
忠清北道
忠清南道
世宗（セジョン）
東京から直行 約2時間30分
慶尚北道
大田（テジョン）
大邱国際空港
大邱（テグ）
全羅北道
蔚山（ウルサン）
慶尚南道
光州（クァンジュ）
全羅南道
釜山（プサン）
金海国際空港
東京から直行 約2時間30分
済州国際空港
東京から直行 約2時間
済州特別自治道

正式名称	大韓民国
首都	ソウル特別市
人口	約5163万人
面積	約10万㎢
言語 文字	韓国語／ハングル ハングルが用いられるようになったのは1446年。それまでは漢字が使われていた。
時差	なし
民族	大半が朝鮮民族（韓民族）だが、ごく少数の中国系住民（華人・華僑）もいる。
宗教	仏教、儒教、キリスト教など

ソウルまで直行 約25分
金浦（キンポ）国際空港
ソウル
仁川（インチョン）国際空港
ソウルまで直行 約65分

治安は良好
治安は良好。日本と変わらないと思ってOKだが貴重品は肌身離さず、夜中に人通りの少ない道を1人で歩くのは避けよう。

新暦も旧暦も
基本的に暦は新暦だが、旧正月や秋夕（チュソク）など、旧暦の祝祭日も残っている。

文字はハングル
ハングルは母音と子音からなる表音文字。街の看板などはほとんどがハングルで表記されているが、英語表記も多い。

日本語は通じやすい
日本語が通じたり日本語メニューを置いてある店が多い。英語もOK。

ソウルの空港は2つ！

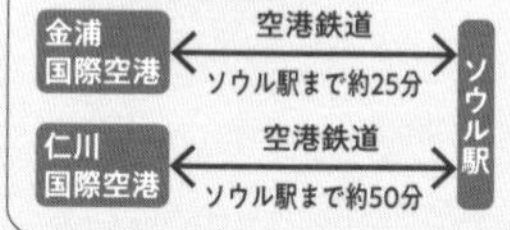

ソウルのベストシーズンは春と秋！

日本と同様、四季があるが、日本よりも春と秋が短いのが特徴。夏は高温多湿、冬は非常に乾燥し、気温がマイナス20℃近くまで低下することも！旧正月と秋夕は多くのお店が休業するので注意が必要。

2024年の秋夕は 9/16(月)～9/18(水)

2025年の旧正月は 1/28(火)～30(木)

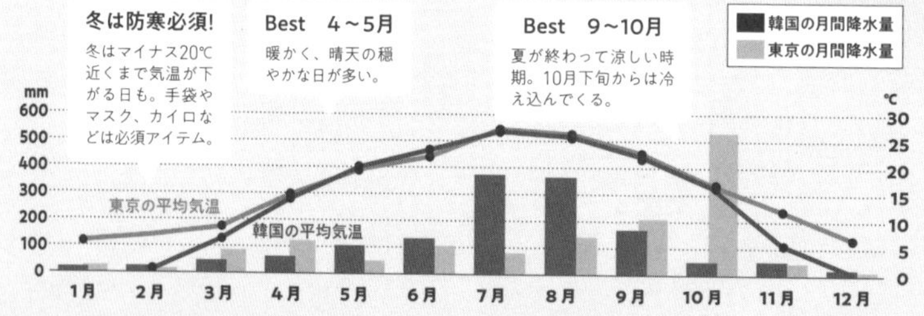

2024年 韓国の祝日
5月5日 子どもの日
5月15日 釈迦誕生日
6月6日 顕忠日
8月15日 光復節
9月16日～9月18日 秋夕
10月3日 開天節
10月9日 ハングルの日
12月25日 聖誕節

通貨はW、支払いはカードが主流

韓国の通貨は「W（ウォン）」。10 W～5万Wまで、紙幣と貨幣がある。両替は韓国の中でも、ホテル→空港→銀行→街の中の公認両替所の順でレートがよくなる。エリア内の公認両替所でもレートに少し差があるので要チェック。

☑ レートをチェック!　**1000W＝約110円**
(2024年3月現在)

☑ お金をチェック!

5万W

1万W

5000W

1000W

500W

100W

50W

10W

現地通貨が必要なときはATM、両替所、WOWPASSを使おう

ATM編　市内各所で引き出し可能

国際ブランドのカード(クレジット・デビット・トラベルプリペイド)があれば、各所にあるATMで現地通貨を引き出すことが可能。PIN(暗証番号)、利用限度額、キャッシングの可否は渡韓前に確認しておくとスムーズに行うことができる。

WOWPASS編　専用両替機でカンタン

WOWPASSとは韓国国内で使える外国人専用のプリペイドカードのことで、カードに円をチャージするとウォンで引き出せる。これらの手続きは、WOWPASSを発行している無人両替機「キオスク」で行える。

両替所編　街の両替所でおトクに!

両替所の中でも特にレートがよいと好評なのが明洞にある大使館前両替所。4号線明洞駅から徒歩4分ほどの好立地。空港での両替は必要最低に抑え賢く両替をしよう。

電話の国番号は82 アプリ通話がお得!

電話はホテルの客室か携帯電話、公衆電話からかけることができる。ホテルからかける場合には手数料がかかることもあるので事前に確認をしよう。

日本から韓国へ

001(識別番号)＋010(識別番号)＋82(国番号)
＋0をとった市外局番　＋相手の番号

マイライン、マイラインプラスに登録している場合、001は省略可

韓国から日本へ

001(認識番号)＋81(国番号)
＋0をとった市外局番　＋相手の番号

ホテルからかける場合は、最初に外線ボタンを押す

スマホから

Wi-FiにつながっているならLINEやKakaoTalkなどの通話機能を使えば無料。

変圧プラグは忘れずに! 喫煙マナーやトイレの利用法に注意

近くて日本語が通じやすいので、なんとなく生活習慣も似ていると思いがちだがライフラインについては異なる点も多い。事前に知って旅行の準備に役立てよう。

電源・電圧

電源は 220V

韓国の電圧は220Vで、コンセントはピンが2本のCタイプまたはSEタイプに対応している。

喫煙

飲食店・ホテルは基本 NG

日本と同様、禁煙化が進んでいる。飲食店などは全面禁煙になっている。ホテルも禁煙室が増加中なので気を付けよう。

トイレ事情

紙はゴミ箱へ!

トイレは水洗だが、詰まり防止のために、トイレットペーパーは備え付けのBOXに捨てる。

Wi-Fi・SIMの手配ならオンライン予約がカンタン!

事前にPCやスマホでWi-Fiルーターを予約しておけば、空港でスムーズにレンタル・返却ができる。またSIMカードの場合は、自宅で受け取れて返却も不要。

KONEST Wi-Fiレンタル
www.konest.com/tour/rental_top.html

こんな手段も!

スマホ充電スポットを知っておこう

韓国は空港だけでなく、カフェや飲食店の座席でもコンセントを開放しているところが多い。変換プラグも持ち歩こう。

2 目的に合わせて使い分けよう! **ソウル市内の移動**

メジャーな交通手段は地下鉄

地下鉄はソウルでの主要な交通手段。9路線＋αが張りめぐらされている。駅には通し番号が付いており、文字が読めなくても安心して移動できる。運賃は1回交通券と、チャージ式交通カードTマネーの2種類。タッチするだけでよく、割引があって電子マネーとしても使えるTマネーを1枚は持っておこう。

チャージしてみよう

1 券売機を見つける

駅の改札口付近にある銀色の券売機で行う。チャージはコンビニなどでもできるが会話が必要になる。

2 日本語を選び チャージを選択

券売機は日本語に対応している。まずは「日本語」をタッチし、「交通カードのチャージ」を選択する。

3 カードを置く

カードを置く部分が光るので、そこにカードを置く。現在残っている料金などが画面に表示される。

4 お金を投入

チャージ金額を選択し、お金を投入。チャージが完了したらカードを取ればOK。

各路線に番号がついている！

1号線 東大門(トンデムン)、市庁(シチョン)など	**4号線** 恵化(ヘファ)、明洞(ミョンドン)など	**7号線** 清潭洞(チョンダムドン)など	**盆唐線(ブンダン)** 狎鴎亭(アックジョン)ロデオなど
2号線 弘大入口(ホンデイック)など	**5号線** 金浦空港など	**8号線** 江南(カンナム)区庁など	
3号線 安国(アングク)、新沙(シンサ)など	**6号線** 梨泰院(イテウォン)など	**9号線** 汝矣島(ヨイド)など	

ソウル地下鉄の基礎知識をチェック！

※2024年7月より値上がり予定

- **運賃は高くて約2000W** 初乗りはT-money利用で1400W。10～50kmは5km、それ以上は8kmごとに100W追加。
- **運行時間は5時台～24時台** 始発は日本と同じくらい。終電は翌1時前まであり、日本よりも少し遅くまで運行。

交通カードT-money

交通ICカード。チャージ式で乗り換えなどがスムーズかつ割引もある。電車、バス、タクシー使用可能。

カードの価格：2500W～

売り場：駅の販売機、コンビニ

終電後は深夜バスオルペミバスを使おう!

深夜バス「オルペミバス」は市内バスの最終時刻23時過ぎから翌朝4時頃まで運行。バスの電光掲示板に書かれたNの文字が目印。

オルペミバス

現金とT-moneyが利用でき、1回につき2500W。一般バスと同様、青い外観ですが番号の横にある「N」の文字が目印

タクシーの初乗り運賃は480円、日本よりもお得に乗車!

韓国のタクシーは、日本よりも価格がリーズナブル。電車がない時間帯の移動などにはとても便利。平日の夕方は帰宅ラッシュで道が大渋滞するので避けよう。

タクシーに乗ってみよう

1 **乗車アピール**
手を横にのばして乗車意思を示す。空車は赤字で「빈차(ピンチャ)」と表示されている。

2 **行き先を告げる**
口頭だけで伝えると聞き間違いのおそれがあるので、メモを用意して文字を見せて伝えるのが確実。

○○まで行ってください。
ッカジ カ ジュセヨ
○○까지 가 주세요.

3 **到着したら支払い**
メーターで料金を確認して支払いをする。支払いは現金、T-money、カードの3種類の方法がある。

ここで停めてください。
ヨギソ セウォ ジュセヨ
여기서 세워 주세요.

メーターを確認

料金は2種類

	初乗り	追加
一般	4800W	100W／131m 100W／30秒
模範	7000W	200W／151m 200W／36秒

支払いはT-moneyでもOK!
支払いは現金、T-money、クレジットカード。

メーターが動いているかCHECK!
タクシー料金のぼったくりには注意が必要。メーターがきちんと動いているか遠回りしていないか確認しよう。

タクシーの種類をチェック!

一般タクシー

台数が多く、運賃が安い。サービスの質も年々向上している。個人タクシーが多い。

インターナショナルタクシー

オレンジ色の車体が特徴。運賃は一般タクシーと同じ。コールセンターでは日本語が通じる。

模範タクシー

黒塗りの車体にゴールドの文字のタクシー。ぼったくりのリスクが少ないが料金は割高。

ジャンボタクシー

8人乗りのワゴン車。台数は少ないが予約すれば1日貸し切れる。模範タクシーと同料金。

路線バスの乗り方をマスターしよう!

地下鉄に並ぶ主要な交通手段が市内バス。日本語案内がなく、ハードルは高いが、地下鉄より小回りがきいて便利。交通カード「T-money」での支払いも可能!

乗車方法

1 **乗車**
バスの前方から乗車する。

2 **T-moneyでタッチ**
乗車口で支払いをする。T-moneyの場合はタッチして支払う。

3 **降りるときはブザーを押す**
目的地のアナウンスが流れたらブザーを押す。停車時間が短いので注意。

4 **降りる前にもう一度タッチ**
T-moneyで支払った場合、降りる前にバス後方の出口付近にあるリーダーにT-moneyを再度かざすと乗り換え時お得になる。

支払いはT-moneyがお得
運賃はT-moneyで支払うと割引がある。T-money利用時の料金は1400W。現金の場合は1500Wで約10円お得。

主要バスはこの2線!

ブルーバス
ソウル市が運営。主要地域を運行する都市型バス。運行距離が長い。

グリーンバス
主要地域と地下鉄駅をつなげる役割を果たす支線バス。

事前の情報収集はこのサイトとアプリをチェック!

ソウル滞在ををより快適にするために情報収集はマスト。韓国語・日本語両方に対応している便利なサイトも多い。地図アプリのダウンロードや、韓国の今がわかる情報サイトを事前にチェックしよう。

最新ソウル情報

ソウルのあらゆる情報を日本語で提供。お得な情報やソウルの流行はここからチェック。

KONEST

旬な情報からソウルで使えるお得なクーポンまで、あらゆる情報を網羅した便利サイト。

www.konest.com/

モウダ

女子向けの情報サイト。韓流やコスメ、ファッションなどに関する最新情報がわかる。

mouda.asia/

韓国観光公社

韓国観光公社が運営するサイト。基本情報からイベント情報までわかりやすく掲載。

japanese.visit korea.or.kr/jpn/index.kto

SEOULNAVI

滞在時に役立つ総合情報サイト。韓国料理店のほか、地方の情報やツアー情報も充実。

www.seoulnavi.com

現地で使えるアプリ

ソウル滞在の即戦力となる日本語対応無料アプリ4選。ダウンロード必須の最強アプリ。

空港の無料Wi-Fi

仁川空港アプリ

フライト、施設などの情報や空港からの交通機関利用案内も提供。

App Store 日本語対応 Google Play 無料

画像翻訳が超便利

NAVER Papago翻訳

音声・テキスト翻訳ほか、写真から読み込む画像翻訳サービスも。

App Store 日本語対応 Google Play 無料

韓国地図はこれ一択!

NAVER MAP

韓国最大のWEB検索サービスの地図。日本語にも対応している。

App Store 日本語対応 Google Play 無料

お買い物のおともに

為替

オフラインでも使用可能。最新のレートで素早く換算してくれる。

App Store 日本語対応 Google Play 無料

現地で使える交通系アプリをDLしよう!

スムーズなソウル観光のために、日本語に対応した時刻表やタクシー呼び出しなど、交通系の無料アプリをダウンロードしておこう。

コネストHPとリンク

コネスト韓国地図

路線図・乗り換え検索ができる、MAPはコネストとリンク。店舗情報も確認できる。

App Store 日本語対応 Google Play 無料

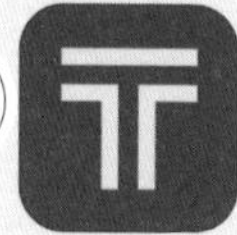

タクシーがすぐ来る!

KAKAO TAXI

現在地と行き先を指定してタクシーを呼び出すだけで楽々タクシー移動ができる。

App Store 日本語対応 Google Play 無料

バスも攻略♪

KAKAO BUS

利用するバスの運行状況や、運行路線を検索できる。韓国語サービスのみ。

App Store Google Play 無料

ソウルの地下鉄路線図

Subway Korea

路線図ほか、出発・到着駅を指定すれば乗り換えも表示。オフラインで使用可能。

App Store 日本語対応 Google Play 無料

4 トラブル発生したら… 困ったときのQ&A

Q.緊急時の連絡先は？

緊急連絡先としてぜひ覚えておきたいのが「Help me119」。119番に電話をかけて「ジャパニーズプリーズ」と伝えると日本語で対応してもらえるので安心して利用することができる。

Help me 119	警察
119	**112**
在韓日本大使館	紛失物センター
02-2170-5200	**02-2299-1282**

Q.なくし物をしたら？

旅行中に物をなくすトラブルはつきもの。紛失物によって対処法や連絡先は異なる。タクシーなどではレシートをもらっておくと連絡が取れるので安心。

パスポート 警察で紛失証明書を作成してもらう。日本領事館に盗難・紛失届を提出し、新しいパスポートを申請。

クレジットカード 各会社のサービスセンターに連絡。カードの利用を停止してもらう。

航空券 航空券を発行した会社に連絡。基本は買い直しになる。

現金・貴重品 警察で紛失証明書を作成。保険加入の場合は補償が受けられる。

Q.病気になったら？

滞在先で体調を崩した場合、旅行保険への加入の有無によって対処の流れが異なる。ただ、まずはホテルのフロントなどに連絡するのが最優先。

保険加入時 まずは保険会社に連絡。病院を紹介してもらい、帰国後（病気になってから30日以内）に保険会社に連絡。支払い請求手続きを行う。

保険未加入 ホテルのフロントに相談してみる。国民健康保険に加入している場合は一定額の還付を受けることもできるので帰国後、保険事務所に相談。

Q.日本語が通じる病院

カトリック大学校 ソウル聖母病院 国際医療センター
日本人専用電話
📞02-2258-5747
（平日8:00～17:00）
www.cmcseoul.or.kr/jp.common.main.main.sp

延世大学校 新村セブランス病院 国際医療センター
日本人専用電話
📞02-2228-5801
（平日8:30～17:30）
sev.severance.healthcare/sev-jp/index.do

出発前に登録しておこう

たびレジ

日本の外務省が提供する海外安全情報無料サービス。無料登録するだけで、渡航先の大使館・領事館から治安情報や注意喚起などの情報が送られてくれる。

www.ezairyu.mofa.go.jp/index.html

5 ちょこっとスタディ! 韓国語会話

簡単な韓国語フレーズを覚えてスムーズな滞在に!

ソウルがもっと楽しくなる簡単な韓国語フレーズをご紹介。覚えておけば役に立つ基本フレーズは、事前にメモして控えておこう。

知っておきたい基本ワード

① こんにちは：안녕하세요（アンニョンハセヨ）

② ありがとう：감사합니다（カムサハムニダ）

③ ごめんなさい：죄송합니다（チェソンハムニダ）

④ 大丈夫です：괜찮아요（クェンチャナヨ）

⑤ いただきます：잘 먹겠습니다（チャルモッケッスムニダ）

⑥ さようなら：안 녕 히 계세요（アンニョンヒ ゲ セ ヨ）

⑦ これください：이거 주세요（イゴ ジュセヨ）

⑧ ○○まで行ってください：○○ 까지 가주세요（ッカジ カジュセヨ）

⑨ これはいくらですか?：이거 얼마예요?（イ ゴ オルマエヨ）

⑩ いらないです：필요 없어요（ピリョ オプソヨ）

初日を乗り切る自己紹介！

① はじめまして!：처 음 뵙겠습니다（チョウム ベッケッスムニダ）

② 私は○○○です!：저 는 ○○○입니다（チョヌン イブニダ）

③ 私は日本人です：저 는 일본사람입니다（チョヌン イルボンサラミムニダ）

④ よろしくおねがいします!：잘 부탁합니다（チャル ブタッカムニダ）

⑤ 仲良くしてくださいね!：친하게 지내주세요（チナゲ チネジュセヨ）

ソウル在住会社員&YouTuberが教える

SEOUL(ソウル)な暮(く)らし方(かた)

2024年4月30日　第1刷発行
2024年5月20日　第2刷発行
著　者　こりあゆ
編　著　朝日新聞出版
発行者　片桐圭子
発行所　朝日新聞出版
〒104-8011　東京都中央区築地5-3-2
(お問い合わせ)infojitsuyo@asahi.com
印刷所　大日本印刷株式会社

Published in Japan by Asahi Shimbun Publications Inc.
ISBN　978-4-02-334159-3

撮影　折井光
取材協力　Jang Young Guk
エイブルソウル店、だれでも留学
写真協力　野中 弥真人、Shutterstock
表紙デザイン　iroiroinc.(佐藤ジョウタ)
本文デザイン　iroiroinc.(佐藤ジョウタ、香川サラサ)
岸 麻里子、Rudy69
イラスト　Kanna Takeda
校正　木串かつ子
企画・編集　朝日新聞出版 生活・文化編集部(白方美樹、永井優希)
アーク・コミュニケーションズ

定価はカバーに表示してあります。
落丁・乱丁の場合は弊社業務部(電話03-5540-7800)へご連絡ください。
送料弊社負担にてお取り替えいたします。